Collection
PROFIL LITTÉRATURE
dirigée par Georges Décote

Série
PROFIL D'UNE ŒUVRE

Cinna (1642)

CORNEILLE

ANALYSE CRITIQUE
PAR HUBERT CURIAL
agrégé de l'Université

HATIER

SOMMAIRE

© HATIER PARIS 1991
Toute représentation, traduction, adaptation ou reproduction, même partielle, par tous procédés, en tous pays, faite sans autorisation préalable, est illicite et exposerait le contrevenant à des poursuites judiciaires. Réf. : loi du 11 mars 1957.

ISSN 0750-2516   ISBN 2-218-**03545-6**

1 Cinna dans la carrière de Corneille

Quand il fait jouer *Cinna* en 1642, Corneille se trouve dans une curieuse situation. Dramaturge[1] expérimenté, il est depuis peu à un tournant de sa carrière. Écrivain connu, il est aussi célèbre que contesté. Auteur du *Cid* (1637) qui a remporté un immense succès, il est en quête d'un nouveau triomphe.

■■■ DE LA COMÉDIE À LA TRAGÉDIE

En 1642, Corneille, qui est né le 6 juin 1606, a 36 ans. Bien qu'il soit avocat de métier, il possède déjà une longue expérience du théâtre. Depuis ses débuts de dramaturge, il a en effet écrit dix pièces. Six d'entre elles sont des comédies : *Mélite* (1629-1630)[2], *La Veuve* (1631-1632), *La Galerie du Palais* et *La Suivante* (1632-1633), *La Place Royale* (1633-1634) et *L'Illusion comique* (1635-1636). Toutes relatent les rivalités sentimentales de jeunes gens découvrant l'amour, et toutes ont été bien accueillies par le public.

Entre-temps, Corneille a certes fait représenter la tragédie de *Médée* (1634-1635). Mais la pièce connut un succès mitigé, fut vite oubliée. Elle ne réussit pas à effacer dans l'esprit des contemporains l'image d'un Corneille auteur de comédies. Quant aux deux tragi-

---

1. Un dramaturge est un auteur de pièces de théâtre, qu'il écrive des comédies ou des tragédies.
2. Quand deux années qui se suivent sont groupées, il s'agit de la saison théâtrale. Il est parfois impossible de dater plus précisément la création des pièces de Corneille.

comédies [1] de *Clitandre* (1630-1631) et du *Cid* (1637), leur dénouement heureux les rattachait encore à l'univers de la comédie.

Or, depuis 1640, Corneille s'est engagé dans une nouvelle voie. Avec *Horace*, il a abordé la tragédie historique et politique : historique, parce que l'action se déroule dans l'Antiquité romaine ; politique, parce que la pièce traite de thèmes aussi graves que ceux de la guerre et des sacrifices demandés aux hommes. *Cinna* s'inscrit deux ans plus tard dans la même lignée. Corneille est définitivement devenu un auteur de tragédies. *Cinna* confirme ce que laissait présager *Horace* : c'est une seconde carrière de dramaturge que Corneille entreprend.

■■■■ UN DRAMATURGE CÉLÈBRE ET CONTESTÉ

Depuis 1637, Corneille est en outre un écrivain fort célèbre. *Le Cid*, joué cette année-là, lui a valu une immense notoriété. Mais, pour énorme qu'il fût, le triomphe n'a pas été complet. Si Corneille a soulevé l'enthousiasme du grand public, il n'a pas convaincu de son talent les milieux littéraires de son époque. Ses confrères dramaturges et les théoriciens du théâtre ont multiplié les critiques [2]. Ils l'ont accusé de plagiat, d'ignorance et même d'immoralisme. Le débat fut si vif que l'Académie française fut invitée à le trancher. Ses appréciations furent un mélange de blâmes et d'éloges. Lavant Corneille de l'accusation déshonorante de plagiat, l'Académie française considéra que *Le Cid* péchait par ce nombreux défauts.

De cette « querelle » littéraire, Corneille est sorti amer. Durant les trois années qui suivirent, jusqu'en

---

1. Une tragi-comédie, à la différence d'une comédie, met en scène des personnages de haute naissance comme une tragédie, mais se termine bien, comme une comédie.
2. Ces critiques forment les épisodes de ce que l'on a appelé la « querelle » du *Cid* ; on pourra consulter sur ce point : Hubert Curial, *Le Cid*, Profil d'une œuvre, n° 133.

1640, il n'a rien fait jouer, occupant une partie de son temps à relire les ouvrages des principaux théoriciens du théâtre [1]. Puisque *Le Cid* ne lui a pas permis d'emporter l'adhésion de ces derniers, c'est à eux qu'il doit prouver sa maîtrise des techniques dramatiques.

■■■■■■ UN DRAMATURGE EN QUÊTE D'UN NOUVEAU TRIOMPHE

Pour s'imposer, Corneille a donc écrit *Horace* (1640). Tout dans sa démarche indiquait alors sa volonté d'être reconnu comme un grand dramaturge. D'abord le fait qu'après un silence de trois ans il revient au théâtre avec une tragédie, alors qu'il n'est jusqu'alors connu que pour ses comédies et ses tragi-comédies. Mais dans la hiérarchie des genres, la tragédie est considérée comme plus noble, plus importante que la comédie. S'y adonner, c'était clairement afficher son ambition d'accéder au sommet.

Le choix d'un sujet romain procédait ensuite d'une intention analogue. Ses adversaires les plus virulents lors de la « querelle » du *Cid* avaient triomphé avec des tragédies à sujet romain. En abordant à son tour l'histoire romaine, Corneille désirait vaincre ses détracteurs sur leur propre terrain.

Mais *Horace* n'a été qu'un demi-succès. Le grand public la reçut froidement. Quant aux théoriciens (aux « doctes », comme on les appelait à l'époque), ils ne furent pas davantage admiratifs. Corneille n'a réussi ni à obtenir un triomphe populaire ni à en imposer aux « doctes ».

Deux ans plus tard il récidive avec *Cinna*. Cette fois, le succès sera énorme. Le public se pressera en foule et les « doctes » applaudiront [2]. De toute sa carrière, ce sera pour Corneille l'un des rares moments de parfaite unanimité.

---

1. La tragédie obéit alors à un ensemble de règles techniques très précises codifiées dans de nombreux livres ; voir le chapitre 9 sur la dramaturgie, p. 62 à 67.
2. Sur le succès de *Cinna*, voir le chapitre 11, p. 75.

2 Résumé

L'action se déroule à Rome dans le palais de l'empereur Auguste en l'an 6 avant notre ère.

▄▄▄▄ ACTE I

Scène 1 : Auguste — alors qu'il n'était pas encore empereur et qu'il s'appelait Octave [1] — a fait assassiner pour des raisons politiques son « tuteur » [2] Caïus Toranius. Mais depuis qu'il est parvenu au pouvoir, comme pris de remords, il comble de bienfaits la fille de son ancienne victime, Émilie, à qui il voue une affection presque paternelle. En vain. Émilie, qui n'a rien oublié du passé, s'est juré de venger la mort de son père Toranius en faisant à son tour assassiner Auguste. Elle n'a d'ailleurs promis d'épouser Cinna, qui l'aime et qu'elle aime, qu'à la condition qu'il tue l'empereur. Cinna s'y est engagé et a donc organisé une conspiration contre Auguste. L'attentat est fixé au lendemain.

A la veille de ce jour fatidique, Émilie exprime ses craintes dans un long monologue : si le complot venait par malheur à être découvert, Cinna irait en effet à une mort certaine. Malgré son devoir qui la pousse à se venger et qu'elle entend bien remplir, Émilie tremble pour l'homme qu'elle aime.

---

1. Petit-neveu et héritier de Jules César, Octave reçut le surnom d'Auguste, qui lui est resté, en 27 avant notre ère, après son accession au pouvoir. Octave et Auguste désignent donc une seule et même personne, mais à des moments différents de son existence : Octave, avant la prise du pouvoir ; Auguste, après qu'il est devenu empereur.
2. Aujourd'hui, un tuteur désigne une personne chargée par la justice de veiller aux intérêts moraux et financiers d'un mineur, en cas de défaillance des parents naturels ; dans l'Antiquité, un tuteur veillait à l'éducation d'un enfant.

Scène 2 : Sa confidente, Fulvie, elle-même inquiète de tant de risques encourus, s'efforce de la ramener à plus de réalisme et de lucidité. Puisqu'Auguste semble regretter son crime, comme le montrent les cadeaux dont il la couvre, pourquoi ne pas lui pardonner ? Pourquoi ne pas laisser à d'autres le soin de conspirer contre Auguste ? Car le complot n'a aucune chance de réussir. Toutes les tentatives d'assassinat d'Auguste ont jusqu'ici échoué, et leurs auteurs ont tous été exécutés.

Mais plus Fulvie tente de faire renoncer Émilie à son projet, plus celle-ci se ressaisit et persiste dans ses intentions. C'est qu'il n'y va pas seulement de l'honneur de sa famille, mais de l'avenir de Rome et du bonheur des Romains. Avec la mort de l'empereur sombrera l'empire qu'il a fondé ; la république sera rétablie et la liberté renaîtra. Ce double devoir, filial et patriotique, vaut bien qu'elle et Cinna assument tous les risques.

Scène 3 : Cinna, précisément, apparaît. Il sort d'une ultime réunion avec les conjurés, des républicains dans l'âme, tous impatients d'en finir avec le pouvoir personnel et autoritaire d'Auguste. Avec eux, il a mis au point les derniers détails de l'attentat et, dans un discours enflammé contre le « tyran » (v. 222), il a une nouvelle fois ravivé leur enthousiasme et leur haine d'Auguste — en leur cachant cependant que la mort de l'empereur est la condition de son mariage avec Émilie.

Encore exalté par son propre discours, Cinna rapporte à Émilie les fortes paroles qu'il a prononcées sur la liberté, bientôt retrouvée, de Rome. Il l'informe des décisions prises ; lui-même s'est réservé l'« honneur » (v. 244) de porter le premier coup de poignard. Cinna et Émilie rêvent à leur bonheur et à celui de Rome.

Scène 4 : Coup de théâtre : Auguste convoque Cinna et, avec lui, Maxime, l'autre chef de la conjuration. Émilie s'alarme : auraient-ils été trahis ? Le sang-froid de Cinna la rassure : quoi que sache Auguste, il est trop tard pour reculer. En cas de malheur, Émilie promet de le suivre dans la mort.

Scène 1 : En réalité, Auguste ignore tout du complot. Lassé du pouvoir, de ses servitudes et de ses soucis, il songe à abdiquer. Avant de prendre sa décision, il souhaite consulter Cinna et Maxime, qu'il considère comme ses deux meilleurs amis. Que ceux-ci parlent donc franchement : leur avis sera sa « règle » (v. 403). Selon les conseils qu'ils lui donneront, il restera au pouvoir ou il le quittera, il fera nommer un nouvel empereur à sa place ou il favorisera le rétablissement de la république.

Contre toute logique apparente (car l'abdication d'Auguste permettrait de rétablir la république sans verser de sang), Cinna presse Auguste de demeurer au pouvoir : son départ ouvrirait une crise de régime, ne manquerait pas de dresser les partisans de l'empire contre les républicains et plongerait Rome dans la guerre civile. En fervent défenseur de la république, Maxime développe la thèse inverse, supplie Auguste d'abandonner un pouvoir que les Romains, tradition-nellement attachés aux libertés, jugent despotique et supportent mal. Après quelques hésitations. Auguste se rallie au point de vue de Cinna : il restera sur le trône pour sauvegarder la paix. En récompense de leurs conseils, il nomme Maxime « gouverneur » (admi-nistrateur) de Sicile, il donne à Cinna la main d'Émilie [1] et promet de l'associer un jour à la direction de l'em-pire.

Scène 2 : A peine ont-ils quitté Auguste que Maxime somme Cinna de s'expliquer : pourquoi n'a-t-il pas, comme lui, poussé l'empereur à abdiquer, puisque l'occasion se présentait de rétablir la répu-blique sans effusion de sang ? Parce que cette abdi-cation, lui répond Cinna, aurait été trop glorieuse pour Auguste (dans la mesure où elle montrerait qu'il dédaigne les fastes et les privilèges du pouvoir) et

---

1. Dans l'Antiquité romaine (comme au XVIIe siècle), il était courant qu'un chef d'État (empereur ou roi) ordonnât des mariages, lesquels n'étaient pas, comme de nos jours, une affaire d'amour, mais de politique.

parce qu'elle aurait laissé les crimes d'Auguste impunis. Peu convaincu, Maxime continue à harceler Cinna de questions.

▰▰▰▰▰ ACTE III

Scène 1 : Cinna finit par lui avouer qu'il aime Émilie, mais qu'il ne pourra l'épouser qu'après avoir tué Auguste. Maxime expose alors à son « affranchi [1] » Euphorbe dans quelle étrange et pénible situation il se trouve. Lui aussi aime Émilie. S'il continue de participer à la conjuration, il favorisera les projets amoureux de son rival et ami.

Euphorbe lui suggère aussitôt de trahir Cinna en le dénonçant à l'empereur : l'amour, dit-il, excuse tout, et ce sera justice de trahir un traître, puisque Cinna, en poussant Auguste à rester au pouvoir, a préféré Émilie à la cause de la république. Maxime, d'abord, s'indigne : trahir est toujours une lâcheté ; puis il proteste de plus en plus mollement ; et il accepte enfin de laisser agir Euphorbe à sa guise.

Scène 2 : Cinna retrouve Maxime et l'entretient de ses scrupules. L'amitié, la générosité d'Auguste à son égard le rendent honteux de diriger un complot contre lui. Comment pourrait-il assassiner son bienfaiteur ? Mais aussi comment ne pas obéir à Émilie ? Comment ne pas respecter le serment qu'il lui a fait d'assassiner Auguste ?

Scène 3 : Demeuré seul, Cinna laisse éclater son désespoir. Il n'a pas en effet simplement accepté de tuer Auguste : il s'y est engagé par serment. Or un serment est sacré. Ne pas le respecter, c'est offenser les dieux et trahir Émilie ; et le respecter, c'est trahir Auguste et devenir un régicide [2]. Dans les deux cas, le déshonneur l'attend. La seule issue possible est donc de faire renoncer Émilie à sa vengeance.

---

1. Un « affranchi » est un ancien esclave à qui l'on a donné sa liberté.
2. Au sens strict, un régicide est l'assassin d'un roi ; par extension, le mot désigne aussi le meurtrier d'un empereur.

Scène 4 : Précisément Émilie survient, tout heureuse de constater qu'Auguste ne sait rien du complot. Cinna lui avoue son trouble, ses hésitations. Aveuglée par ce qu'elle croit être son devoir, Émilie ne veut rien entendre ni comprendre. Elle accable Cinna de son mépris, l'accuse de lâcheté et prétend aller elle-même assassiner le « tyran ».

Cinna se résigne alors à tenir sa promesse, mais il se suicidera aussitôt après le meurtre d'Auguste. Ainsi il retrouvera son honneur et sa dignité (car son suicide montrera qu'il n'a agi contre sa conscience que pour obéir à Émilie).

Scène 5 : Devant Fulvie, sa confidente, Émilie apparaît un instant ébranlée. Très vite toutefois, sa haine d'Auguste redevient la plus forte. Qu'il se suicide ou non, que Cinna choisisse entre elle et Auguste !

▬▬▬▬ ACTE IV

Scène 1 : Euphorbe, l'affranchi de Maxime, informe l'empereur du complot qui se trame contre lui. Il lui annonce également la (fausse) mort de son maître, Maxime, qui, rongé de remords, s'est jeté dans le Tibre (le fleuve qui traverse Rome) ; mais Euphorbe ne dit rien de la participation d'Émilie au complot.

Scène 2 : Après le départ d'Euphorbe, Auguste, seul, donne libre cours à sa douleur. Maxime ! Cinna ! Ceux qu'il estimait comme ses plus fidèles amis osent le trahir, projettent de l'assassiner ! A qui peut-il se fier désormais ? Auguste ressent une immense solitude. A quoi sert le pouvoir, s'il n'attire que des haines, s'il éloigne la sincérité, l'amitié ? Désemparé, Auguste dresse le bilan de son règne et de sa vie. Le souvenir de son passé, de l'exécution de Toranius, de tous les crimes qu'il a commis pour s'emparer du pouvoir, lui revient en mémoire.

Doit-il, lui qui a tant tué pour accéder au pouvoir, tuer ceux qui souhaitent l'en chasser ? La multiplicité des complots tramés contre lui est-elle un châtiment du ciel ? Auguste envisage un instant de ne pas procéder à l'arrestation des conspirateurs, de faire comme s'il ne savait rien, et de se laisser assassiner. Bientôt il se ressaisit : jamais une victime potentielle n'a aidé ses assassins ; et le devoir de tout empereur est de punir les comploteurs, sans quoi l'État sombrerait dans l'anarchie. Puis de nouveau Auguste hésite. Ne sachant s'il doit quitter le trône et la vie ou s'il doit châtier Cinna, il demeure sans volonté, comme prostré.

Scène 3 : C'est dans cette indécision que le trouve l'impératrice Livie, son épouse. Devant ce complot qui vient après beaucoup d'autres et qui démontre l'inefficacité de la répression, Livie lui suggère d'user de clémence et d'habileté. Puisque le châtiment suprême, loin d'effrayer, suscite de nouvelles vocations, qu'Auguste ose ce qu'aucun chef d'État n'a pratiqué avant lui : qu'il pardonne à Cinna. Un tel geste de clémence toucherait peut-être les Romains, les apaiserait. L'argument ne convainc guère Auguste, habitué à régner par la force, et qui sait que des rebelles ne méritent que la mort.

Scène 4 : Fulvie, la confidente d'Émilie, apprend à sa maîtresse que le complot est découvert. En dépit de l'exécution probable de Cinna, Émilie conserve étrangement son calme et se console en se disant qu'elle aura tout tenté pour venger son père et rétablir la république.

Scène 5 : Maxime paraît soudain. Sous le prétexte, explique-t-il, de poursuivre la lutte et de venger Cinna, il a fait courir le faux bruit de sa mort. Il engage Émilie à s'enfuir avec lui, à gagner un lieu plus tranquille où, loin de Rome, ils pourront fomenter une nouvelle conspiration contre Auguste. Mais Émilie devine qu'il est à l'origine de la trahison, et elle le repousse avec dédain.

Scène 6 : Abandonné par Émilie, traître à Cinna (qu'il a laissé livrer) et à Auguste (qu'il envisageait, il y a encore peu de temps, d'assassiner), Maxime prend conscience de son infamie. Il en rejette néanmoins toute la responsabilité sur Euphorbe qui l'a égaré et mal conseillé. Pour se racheter à ses propres yeux, il décide d'aller tout avouer à Auguste et d'attendre le juste châtiment de ses forfaits.

ACTE V

Scène 1 : Cinna comparaît devant Auguste qui l'a convoqué. Celui-ci commence par lui rappeler les bienfaits dont il l'a comblé : ne lui a-t-il pas accordé son amitié ? n'a-t-il pas fait de lui son favori ? ne lui a-t-il pas promis, il y a quelques heures à peine, de l'associer un jour au gouvernement de l'empire ? Pourquoi, pour prix de ses bienfaits, veut-il l'assassiner ?

Comme Cinna proteste, Auguste l'accable de preuves irréfutables : il lui indique le lieu, le jour, l'heure de l'attentat, et le nom de tous les conjurés. Ne pouvant plus nier, Cinna revendique alors la pleine responsabilité de ses actes et brave Auguste : la mort ne lui fait pas peur.

Scène 2 : A ce moment précis, l'impératrice introduit Émilie qui reconnaît sa participation au complot. Celui-ci, douloureusement affecté par la trahison de celle qu'il considère comme sa fille adoptive, ne sait quel parti prendre. Comment faire exécuter Cinna et Émilie, les deux êtres qu'il traitait comme ses enfants ? Cinna et Émilie se disputent l'honneur d'avoir organisé la conspiration et réclament la faveur d'être exécutés ensemble, d'être unis dans la mort.

Scène 3 : Auguste s'apprête à la leur accorder (c'est-à-dire à les condamner à la peine capitale) quand Maxime apparaît à son tour et avoue ses trahisons. Pour l'empereur, la mesure est à son comble. Dans un effort héroïque sur lui-même, Auguste maîtrise pourtant sa colère et son désespoir, et il pardonne à tous. Sa grandeur d'âme, sa générosité convertissent aussitôt les conjurés. Devant tant de clémence, Émilie sent sa haine disparaître, reconnaît qu'Auguste a changé, qu'il n'est plus Octave, l'assassin de son père Toranius, et qu'il serait injuste de faire payer à Auguste

les fautes d'Octave. Cinna rend grâces à l'empereur ;
Maxime reste confondu des bontés de l'empereur.

Après avoir pardonné à chacun, Auguste obtient de
Cinna et d'Émilie qu'ils pardonnent à leur tour à
Maxime. Livie prédit à l'empereur un règne enfin paisible, sans plus de conspirations, et aux Romains un
avenir de bonheur et de paix, cependant que se pré-
pare le mariage de Cinna et d'Émilie.

3 Les personnages

■■■■ AUGUSTE

Bien que la pièce ait pour titre le nom de Cinna, Auguste en est le personnage principal [1]. Il se trouve en effet au centre de l'action dans la mesure où, d'une part, l'attentat projeté le vise, où, d'autre part, le dénouement dépend de ses seules décisions. C'est depuis longtemps un dictateur, mais c'est depuis peu un dictateur lassé de l'être, qui traverse la plus grave crise morale et politique de son existence. La générosité dont il fait preuve en pardonnant aux conjurés le réhabilite toutefois à ses propres yeux et à ceux des Romains.

D'Octave à Auguste

Depuis longtemps, Auguste est un dictateur. Il l'est à un double titre : d'abord par sa conquête sanglante du pouvoir ; ensuite par son règne violemment répressif.

Au temps où Auguste ne s'appelait encore qu'Octave [2], Jules César dirigeait Rome. Celui-ci concentrait tous les pouvoirs dans ses mains ; il s'était fait nommer consul à vie [3] par le Sénat [4] et il gouvernait dans la réalité comme un empereur ; mais il avait eu la sagesse ou l'habileté de ne pas modifier les apparences constitutionnelles [5] de l'État : officiellement

---

1. Rien n'obligeait en effet un dramaturge à donner pour titre à sa pièce le nom du personnage principal ; Corneille avait sous-titré *Cinna* « La clémence d'Auguste ». Ce sous-titre disparut très vite et de l'affiche des théâtres et des éditions imprimées.
2. Voir page 7, note 1.
3. Les consuls étaient, sous la république romaine, au nombre de deux ; ils étaient (en principe) élus pour un an et exerçaient le pouvoir.
4. Le Sénat romain était l'assemblée politique qui votait les lois.
5. La constitution détermine la forme légale (républicaine, monarchique, impériale...) du gouvernement d'un pays.

Rome demeurait une république. La menace d'un changement de régime — c'est-à-dire le passage de la république à l'empire — n'en pesait pas moins ; et deux républicains intransigeants, Brutus et Cassius, assassinèrent Jules César en 44 avant J.-C.

Petit-neveu et fils adoptif de Jules César, Octave entreprend aussitôt de châtier les meurtriers. Une guerre civile s'engage ; elle est si impitoyable que, près de quarante ans plus tard, Auguste se souvient encore des « fleuves de sang » où son « bras s'est baigné » (v. 1131 à 1136), des « carnages » qu'il a ordonnés. Après avoir triomphé des assassins de Jules César [1], il parvient au pouvoir. Il gouverne d'abord avec Lépide et Antoine que, par ambition, il élimine progressivement [2]. Avec le surnom d'Auguste, Octave reçoit enfin d'un Sénat [3] docile les pleins pouvoirs, en 27 avant J.-C. Désormais, il est le maître absolu de Rome. Quand éclate la conjuration de Cinna en 6 avant J.-C., il peut orgueilleusement évoquer la puissance, « sans borne », qui est la sienne (v. 357 à 359).

Cette puissance, Auguste l'a donc conquise par le fer, le feu et le sang ; et dans l'esprit des grandes familles romaines demeurées fidèles à l'idéal républicain, il est le fondateur sanguinaire d'un empire, le fossoyeur de la république : il est le « tyran » à abattre. Aussi, devant les complots qui se multiplient pour l'assassiner, règne-t-il depuis « vingt ans » (v. 1248) par la terreur. Pour maintenir son autorité, il a eu recours aux « proscriptions » (v. 1138), qui sont des mesures d'exil sous peine de mise à mort immédiate de ceux qui n'obéiraient pas : et, depuis « vingt ans », il fait exécuter sans pitié ceux qui se dressent contre lui.

---

1. Vaincus par Antoine (l'un des lieutenants d'Octave) lors de la bataille de Philippes (en 42 avant J.-C.), Brutus et Cassius se suicidèrent.
2. Lépide avait été l'ancien collègue de César au consulat en 46 avant J.-C. ; Antoine, encore appelé Marc-Antoine, avait été l'un des lieutenants de Jules César, avant d'être celui d'Octave. Octave neutralisa politiquement Lépide (en lui enlevant tout pouvoir réel) et écrasa militairement Antoine lors de la bataille d'Actium (31 avant J.-C.).
3. Voir p. 15, note 4.

Un dictateur désabusé

Mais s'il est depuis longtemps un dictateur, Auguste est depuis peu un dictateur désenchanté. Le pouvoir ne lui procure ni les joies ni les délices qu'il en espérait. Son exercice quotidien lui donne au contraire :

> D'effroyables soucis, d'éternelles alarmes,
> Mille ennemis secrets, la mort à tout propos,
> Point de plaisir sans trouble, et jamais de repos.
>
> (v. 374 à 376)

Au faîte de sa puissance, l'ambitieux qui plaçait son bonheur dans la domination découvre son erreur : il n'est qu'un homme seul, détesté de tous. Était-ce la peine de commettre tant de cruautés pour arriver à ce résultat ? Auguste est assez lucide pour s'interroger, pour se demander s'il a eu raison d'agir comme il l'a fait. Son passé sanglant l'écœure, et le présent l'accable. Auguste en a assez d'être un « tyran ». C'est pourquoi il éprouve la tentation d'abdiquer : pour ne plus être haï de Rome, pour n'avoir plus à tuer, pour vivre enfin en paix (v. 1162 à 1165).

La découverte de la conjuration de Cinna aggrave son désarroi, car elle est menée non par d'anciens ennemis irréductibles qu'il pourrait sans hésitation faire condamner à mort, mais par ceux en qui il avait placé sa confiance et son affection : Cinna était son favori (v. 1450 à 1460), Maxime son plus cher « confident » (v. 393 et 394), et Émilie était comme sa propre « fille » (v. 1564). Tous trois vivaient dans son intimité. Or si même ceux qu'il comblait de faveurs le trahissent, c'est que nul dans l'empire ne reconnaît son autorité.

Affectivement et politiquement, Auguste se découvre plus seul qu'il ne l'a jamais été, qu'il ne pensait l'être. Aussi touche-t-il le fond du désespoir. Comment faire exécuter les êtres qu'il aime le plus ? Et, s'il les fait exécuter, d'autres prendront la relève, conspireront de nouveau contre lui. On comprend, dans ces conditions, qu'il envisage d'ignorer les révélations traîtresses d'Euphorbe et de se laisser assassiner (v. 1130 à 1148), en faisant comme s'il ne savait rien du complot de Cinna.

La clémence d'Auguste

Toutefois l'héroïque [1] générosité qu'Auguste manifeste en accordant son pardon aux conjurés lui permet de sortir de cette crise.

Tant dans l'Antiquité romaine que sous les rois de France, il n'était en effet guère habituel de pardonner à des conspirateurs projetant d'assassiner un empereur (ou un souverain). L'idée même du meurtre d'un chef d'État, sans aucun passage à l'acte, ni même de préparatifs, était déjà considéré comme un crime ; et le droit, aussi bien romain que français, ne prévoyait qu'une peine pour les régicides [2] : le châtiment suprême. La clémence d'Auguste est donc un geste exceptionnel, et d'ailleurs unique dans l'histoire de l'Antiquité.

Sur le plan politique, cette clémence constitue un pari. Au moment où Auguste prend la décision de pardonner, il n'est pas en effet certain de convaincre Cinna, Émilie et Maxime, de les rallier à sa personne. Ne pas châtier des conjurés, c'est assumer le risque d'encourager de futurs régicides (puisqu'il n'y aurait plus aucun danger à conspirer). Mais par cet acte de clémence, Auguste montre avec éclat qu'il rompt avec le passé, avec son propre passé, qu'il cesse d'être un dictateur. Il domine, pour les vaincre, sa colère, sa déception, ses appétits de pouvoir. En lui Auguste oublie Octave. Il cesse d'être un chef de parti qui règne par la violence. Il devient un chef d'État soucieux du bien de tous. Il est désormais un homme neuf qui ouvre, par le pardon, une nouvelle ère de l'histoire romaine.

Mieux qu'une façon de régner, plus qu'un moyen de demeurer au pouvoir et qui serait à la portée de n'importe quel habile politique, Auguste trouve ainsi « l'art d'être maître des cœurs » (v. 1764). Chacun consent à son pouvoir. En son empereur, devenu un héros [3], Rome peut maintenant se reconnaître et communier.

---

1. Sur l'héroïsme d'Auguste, voir p. 36 à 40.
2. Voir p. 10, note 2.
3. Sur l'héroïsme d'Auguste, voir p. 36 à 40.

■■■■ CINNA

« Amant [1] » d'Émilie, chef de la conspiration fomentée contre Auguste, Cinna est un personnage déchiré par des fidélités multiples, aussi sincères qu'incompatibles entre elles. Son courage, son sens de l'honneur lui permettront cependant de surmonter ses contradictions et de réaliser son unité intérieure. Le péril mortel qu'il affronte mûrira ce jeune homme fougueux, romanesque, pour laisser place à un adulte enfin réconcilié avec lui-même et avec les autres.

Le favori de l'empereur

Son existence se déroule sous le signe du paradoxe. Cinna est le petit-fils du grand Pompée (106-48 avant J.-C.) qui avait défendu contre Jules César, qui les menaçait, les institutions de la république, avant d'être militairement battu à Pharsale (48 avant J.-C.). Tout devrait donc opposer Auguste et Cinna, l'empereur et le descendant du plus illustre des républicains, le fils (adoptif) du vainqueur et le petit-fils du vaincu. Or, autant par affection que pour désarmer la haine de ses anciens adversaires et réconcilier les Romains entre eux, Auguste a fait de Cinna son favori (v. 1446 à 1464). Cinna peut ce qu'il veut (v. 1520) ; chacun dans Rome le « courtise », l'« aime » (v. 1518) ; l'empereur exauce ses moindres désirs. Pourtant Cinna projette d'assassiner Auguste.

Deux sincérités contradictoires

C'est que deux fidélités inconciliables l'habitent. Il y a en Cinna un jeune homme romanesque, qui rêve d'héroïsme et d'action d'éclat. En assassinant un « tyran », en rétablissant la république, il aspire à laisser son nom dans l'Histoire, comme Brutus [2], meurtrier

---

1. Dans la langue du XVIIe siècle, « amant » désigne celui qui aime et qui est aimé, tandis qu'« amoureux » désigne celui qui n'est pas aimé en retour.
2. Assassin de Jules César, Brutus demeura dans l'histoire comme le modèle du républicain.

de Jules César, y a laissé le sien. Cette ambition de faire renaître la liberté dans Rome et de passer ainsi à la postérité lui paraît d'autant plus belle que, petit-fils de Pompée, il vengera de la sorte son grand-père (vaincu par César) et que l'amour le soutient. Car tuer Auguste, c'est aussi servir Émilie. Cinna, enivré par ses propres rêves, s'identifie à cette double image exaltante du libérateur de Rome et de parfait amant d'Émilie. Déjà il se voit comme un second Brutus (II, 2), faisant même mieux que Brutus, puisqu'il saura, lui, faire régner la paix [1] ; et avec quel enthousiasme ne rapporte-t-il pas à Émilie les fiers propos qu'il a tenus aux conjurés (v. 163 à 248) ! Cinna finit par croire à ses propres rêves. Sa sincérité, sa fidélité à Émilie sont réelles ; simplement Cinna vit dans le romanesque de la parole rêvée, anticipatrice.

Mais il y a en Cinna un autre être, moins exalté, plus lucide, capable de voir la réalité en face. Cet être-là, plus raisonnable, se nourrit de moins de mots, cesse de considérer le « tyran » comme une notion vague, générale, pour lui donner le nom et le visage d'Auguste. Or Cinna lui doit tout, son rang, sa fortune et son prestige. Comment, sous peine d'ingratitude, assassiner son bienfaiteur ? Cinna est en outre suffisamment perspicace pour se rendre compte que sans un pouvoir fort (donc impérial), Rome sombrerait de nouveau très vite dans l'anarchie.

De ces deux fidélités qui d'un côté l'attachent à Émilie et de l'autre à Auguste naissent ses hésitations et ses contradictions. Devant Émilie, l'amour et le rêve l'emportent ; devant Auguste, le réalisme triomphe. C'est pourquoi quand approche l'heure de passer à l'action, les contradictions deviennent insurmontables. Il supplie en vain Émilie de renoncer à sa vengeance (III, 4) ou, à défaut, de le délier du « serment » (v. 893) qu'il lui a fait d'assassiner Auguste. Dans l'Antiquité, un « serment » était un engagement solennel dont on prenait les dieux à témoins ; on ne pouvait par la suite s'y soustraire, sous peine de sacrilège et de déshonneur (sauf si celui ou celle à qui on l'avait fait vous

---

1. Voir, dans *Cinna*, les vers 669 à 672.

dégageait de votre promesse). Cinna se trouve donc confronté à un dilemme tragique : ou il est infidèle aux dieux et à Émilie en ne tuant pas Auguste, ou il est infidèle à Auguste en le tuant. Dans les deux cas, il se déshonore.

Du sursaut au salut

Le refus d'Émilie de le délier de son « serment » le contraint à respecter sa promesse (v. 1049 à 1061). Un trait fondamental de son caractère apparaît alors : le souci de sa réputation, de sa gloire. Le jeune homme romanesque, placé dans une situation qui ne lui laisse aucune échappatoire, réagit d'instinct en homme d'honneur ; il envisage en effet de se suicider aussitôt après avoir assassiné Auguste (v. 1062 à 1066). Par son suicide, Cinna montrera ainsi qu'il n'a tué l'empereur que sous la contrainte d'une promesse imprudemment donnée ; il prouvera qu'il regrette son geste et qu'il n'a pas voulu survivre à la mort de son bienfaiteur. En se tuant, Cinna se rachètera.

La trahison d'Euphorbe l'empêchera d'en venir à cette extrémité. Convoqué, confondu par Auguste, Cinna n'en assume pas moins ses responsabilités de chef de la conjuration avec courage. Ignorant encore que l'empereur lui pardonnera sa trahison, il le « brave » (v. 1556), le défie et attend sans peur son exécution prochaine. La comparution soudaine d'Émilie lui donne l'occasion de montrer une générosité peu commune. Devant Auguste, c'est-à-dire devant son juge, Cinna dispute à Émilie la « gloire » (v. 1641) d'avoir eu, le premier, l'idée du complot. En revendiquant ainsi hautement sa responsabilité, il réclame certes la mort, mais il tente aussi, dans un ultime geste chevaleresque, de sauver Émilie. La menace du châtiment suprême est une épreuve qui révèle Cinna à lui-même, qui lui permet de manifester ses qualités profondes : un courage certain, le sens de l'honneur, de l'héroïsme [1].

---

1. Sur l'héroïsme de Cinna, voir p. 43.

La clémence d'Auguste ne l'en bouleverse que davantage. Devant cet exemple de générosité sans précédent, Cinna peut désormais reconnaître dans l'empereur le maître légitime de Rome, puisque celui-ci vient de montrer avec éclat qu'il n'est plus un tyran. Du même coup sa fidélité à l'empereur cesse d'être en contradiction avec sa fidélité à Émilie. Il peut d'autant plus facilement épouser la jeune femme qu'Auguste le lui ordonne et que celle-ci a oublié sa vengeance. Cinna trouve enfin son unité intérieure.

■■■■■■ ÉMILIE

Fille de Toranius dont elle partage l'idéal républicain, Émilie poursuit Auguste d'une haine implacable et aveugle. Sa soif de vengeance n'a d'égal que son amour pour Cinna. La clémence de l'empereur la guérira de son fanatisme.

Une vengeresse implacable

Depuis l'assassinat de son père Toranius par Octave-Auguste [1], Émilie déteste l'empereur d'une haine absolue. Punir l'assassin de son père, venger l'honneur de sa famille sont devenus ses seules raisons de vivre. Rien ne saurait l'arrêter pour atteindre le but qu'elle s'est fixé. Bien qu'elle aime sincèrement Cinna, elle a posé comme condition à leur mariage qu'il tue d'abord l'empereur ; et quand Cinna l'entretient de ses hésitations, elle envisage aussitôt de poignarder Auguste, quitte à périr dans l'aventure (III, 4). Aucun scrupule moral, aucun remords ne l'assaillent. L'empereur peut bien la considérer comme sa propre fille (v. 1564), la couvrir de bienfaits (v. 63 à 68), elle retourne ces faveurs contre lui ; elle se sert de sa fortune et de sa position sociale pour organiser un complot, sans songer à ce que son attitude peut avoir de faux, d'ingrat ou d'hypocrite dans la mesure où elle accepte les bienfaits d'Auguste. Pour elle, la fin justifie les moyens.

---

1. Voir p. 7, note 1.

« Vous faites des vertus au gré de votre haine[1] »,
constate amèrement Cinna. Rien ne peut l'ébranler,
d'autant plus que, républicaine convaincue, elle espère
que l'assassinat de l'empereur provoquera la renais-
sance de la république. Émilie est ainsi une vengeresse
impitoyable.

Son fanatisme ne la rend pourtant pas antipathique,
ni ne la dégrade. Son mépris de la mort, l'énergie
farouche qui l'habite, sa révolte même contre un pouvoir tyrannique suscitent l'admiration. Sous la vengeresse vibre une amoureuse.

Une « amante » fidèle

Émilie aime en effet Cinna d'un amour aussi total
que l'est sa soif de vengeance. Même si elle n'hésite
pas à lui faire risquer la mort en lui ordonnant de tuer
Auguste, elle tremble pour lui à la moindre alerte :
« Souviens-toi seulement que je t'aime » (v. 354), dit-
elle à Cinna quand il doit se rendre à la convocation
soudaine de l'empereur. Sa fidélité est sans faille. Pas
un instant elle n'imagine de survivre à Cinna, si un
malheur devait advenir ; et, après l'arrestation de
Cinna, Maxime ne parvient pas à la convaincre de s'enfuir avec lui (IV, 5). Quoi qu'il arrive, sa place est auprès
de Cinna : vivante, s'il est vivant ; morte, s'il est mort.
Même les scrupules de son « amant » qui ne se
résigne pas à assassiner l'empereur n'étouffent pas
son amour. Elle a beau sur le moment le mépriser, le
traiter de « lâche », d'« esclave » (v. 1032), la passion
reprend chez elle vite le dessus : « Je t'aime toutefois,
quel que tu puisses être » (v. 1033). C'est l'aveu splen-
dide et bouleversant d'une femme, encore capable
d'aimer l'homme qui la déçoit.

Un revirement soudain

Sa comparution finale devant Auguste achève de
sauver Émilie de l'antipathie du lecteur ou du spec-

---

1. *Cinna*, III, 4, v. 977 ; voir aussi, p. 41-42.

tateur. Comme Cinna, elle ne cesse de braver Auguste avec un courage qui défie les menaces et la mort :

Si j'ai séduit Cinna, j'en séduirai bien d'autres ;
Et je suis plus à craindre, et vous plus en danger,
Si j'ai l'amour ensemble et le sang à venger.

(v. 1622 à 1624)

La clémence inattendue de l'empereur la guérit de son fanatisme. La rapidité avec laquelle Émilie reconnaît son « forfait » (le complot) qui, pourtant, lui « semblait justice » (v. 1717), mérite que l'on s'attarde à l'expliquer. Depuis l'assassinat de son père, Émilie s'est figée dans sa vengeance. Parce qu'elle a été victime de ce traumatisme dans sa jeunesse, son imagination s'est fixée sur l'image atroce de son père mort. Elle ne peut plus voir l'empereur sans se représenter le cadavre de Toranius. Par là-même, Émilie n'a pas vu, n'a pas compris qu'Auguste avait beaucoup évolué depuis l'époque où il n'était encore qu'Octave. La clémence impériale agit sur elle comme un véritable choc qui annule le trouble consécutif à la disparition de son père. Brutalement, Émilie découvre, se rend compte que l'empereur qui lui pardonne son geste de régicide n'a plus aucun rapport avec l'horrible assassin de jadis. Le vocabulaire dont use Émilie est d'ailleurs significatif : « Je retrouve la vue » (v. 1716). Tout se passe comme si Émilie, qui n'avait jusqu'ici vécu que dans le souvenir et le passé, découvrait que les temps ont changé. Elle peut désormais oublier sa haine et accorder sa confiance à l'empereur.

■■■■■ MAXIME

Bien qu'il bénéficie de la confiance d'Auguste, Maxime est un républicain sincère et raisonnable. Mais son amour pour Émilie constitue chez lui une faiblesse qui le conduit à trahir. Son sens de l'honneur, un instant émoussé sous l'influence néfaste de son « affranchi[1] » Euphorbe, reprendra toutefois le dessus.

---

1. Voir p. 10, note 1.

Un partisan de la république

Comme Cinna et Émilie, Maxime vit dans une situation fausse. Il jouit suffisamment de l'estime d'Auguste pour que celui-ci le consulte sur son maintien au pouvoir ou sa démission éventuelle (II, 1) et pour qu'il lui accorde le gouvernement de la Sicile (v. 633). Mais cette faveur ne l'empêche pas de nourrir des sentiments républicains et de fomenter, par idéalisme, un complot contre Auguste.

Son dévouement à la cause des républicains est désintéressé. A la différence, en effet, de Cinna qui doit tuer Auguste pour épouser Émilie, Maxime n'agit pas par intérêt personnel. Maxime fait même preuve de plus de sérieux et de prudence que Cinna. Le rétablissement de la république lui importe plus que la façon de la rétablir. Quand il s'aperçoit qu'Auguste serait le cas échéant prêt à démissionner, il l'engage avec force dans cette voie. L'abdication d'Auguste permettrait de rétablir la république dans le calme, sans effusion de sang. C'est pourquoi Maxime développe devant l'empereur une argumentation[1] toute stoïcienne[2] en soutenant que le renoncement volontaire aux grandeurs est la marque d'une vertu exceptionnelle (v. 457 à 460). Maxime, enfin, s'inquiète de la façon de gouverner Rome quand la liberté sera revenue dans ses murs (II, 2). C'est donc un homme qui possède d'éminentes qualités.

Un être faible par amour

Par amour, pourtant, Maxime va multiplier les lâchetés. La découverte de la passion qui lie Cinna et Émilie le met dans une position difficile ; en effet, en travaillant au succès de la conjuration (l'assassinat

---

1. Acte II, scène 1, v. 526 à 556.
2. Enseigné par le philosophe grec Zénon (ve siècle avant J.-C.), le stoïcisme est une doctrine qui place le bonheur dans la vertu et qui prêche l'indifférence, le courage devant les malheurs, et le mépris des biens matériels.

d'Auguste), il travaille aussi pour le bonheur de Cinna (puisqu'Émilie n'épousera Cinna que si Auguste est tué). Cinna devient donc pour Maxime un allié politique et un rival sentimental. Dès lors celui-ci doit choisir entre son idéal républicain et son intérêt personnel. L'héroïsme voudrait qu'il se sacrifie. Mais manquant de grandeur d'âme, Maxime hésite, avoue son trouble à Euphorbe qui finit de le corrompre par ses conseils.

Le trouble de Maxime est certes compréhensible : comment, d'un côté, trahir un ami ? mais comment, de l'autre, renoncer à l'espoir fou de se faire aimer d'Émilie ? Sa première lâcheté consiste à demeurer dans l'indécision et à laisser Euphorbe agir à sa guise ; sa seconde lâcheté réside dans la proposition honteuse qu'il fait à Émilie de fuir avec lui, sous le prétexte de pouvoir réorganiser de loin la lutte contre Auguste, comme si Émilie était femme à redouter la mort et à abandonner Cinna dans le danger (IV, 5).

Un être sauvé par le remords

Pourtant, désespéré par le refus d'Émilie de le suivre, Maxime retrouve la voie et le sens de l'honneur. Se rendant compte qu'il a trahi son « souverain » (qui lui accorde sa confiance), son « ami » (Cinna) et sa « maîtresse » (Émilie), Maxime, après avoir maudit Euphorbe (V, 6), décide de se livrer et de se dénoncer lui-même à Auguste. A ce stade de la pièce et de son évolution, alors que rien ne laisse prévoir la clémence de l'empereur, cette résolution équivaut à une acceptation du châtiment suprême. Maxime confesse en effet tous ses crimes à Auguste (v. 1673 à 1692) et, à l'avance, il prononce sa propre condamnation :

> J'ai trahi mon ami, ma maîtresse, mon maître,
> Ma gloire, mon pays, par l'avis de ce traître,
> Et croirai toutefois mon bonheur infini,
> Si je puis m'en punir après l'avoir puni. ?
> (v. 1689 à 1692)

Le remords rachète ainsi Maxime. Le pardon d'Auguste le réhabilite complètement, puisque Maxime reprend sa place de conseiller auprès de l'empereur, retrouve son « crédit » et sa « renommée » (v. 1738).

Ame faible, il n'est pas en définitive une âme vile. C'est pourquoi il peut retrouver sa place et son rang.

■■■■■ LIVIE

Épouse d'Auguste, l'impératrice Livie n'apparaît que dans trois scènes (IV, 3 ; V, 2 et V, 3) où elle remplit la double fonction de conseillère et de prophétesse.

Quand elle demande à Auguste : « Écouteriez-vous les conseils d'une femme ? » (v. 1197), Livie s'érige en effet en conseillère de son mari, mais en conseillère occasionnelle. L'emploi du conditionnel présent et la forme interrogative de ses propos indiquent effectivement qu'il n'entre pas dans ses habitudes de se mêler de politique. Touchée par le désarroi de son mari, Livie sort de la réserve que lui impose son rôle d'épouse (le XVIIe siècle considérait qu'une femme ne devait pas s'occuper de politique) pour suggérer l'idée de la clémence.

Mais Livie conçoit cette clémence en tête politique, c'est-à-dire comme une manœuvre, comme un coup de théâtre destiné à frapper les esprits. Puisque la répression s'avère impuissante à effrayer les régicides, il convient, pense-t-elle, d'user d'une autre méthode, de chercher « le plus utile » (v. 1212). Elle n'envisage le pardon que comme un moyen, inédit et spectaculaire, de retourner l'opinion publique en faveur de l'empereur. C'est dans son esprit une forme subtile de ruse. C'est pourquoi Auguste repousse dans un premier temps la suggestion de sa femme. L'idée initiale de la clémence qu'il adoptera par la suite, après en avoir changé la portée et le sens[1], n'en revient pas moins à Livie.

Le rôle de celle-ci se modifie à la fin de la pièce où Livie se métamorphose en prophétesse. « Une céleste flamme / D'un rayon prophétique illumine » (v. 1573 et 1574) son âme et les « dieux » parlent par sa bouche. Elle apporte ainsi la caution de la divinité au pardon

---

1. Voir chapitre 5, pp. 38-39.

que l'empereur accorde aux conjurés, et elle inscrit l'Histoire dans une conception providentielle[1] du monde. Son rôle, bien qu'il soit quantitativement limité, prend pour cette raison une grande importance, dans la mesure où il confère à l'œuvre une dimension religieuse qui la rehausse.

■■■■■■ EUPHORBE

« Affranchi[2] » de Maxime, Euphorbe est l'âme damnée de son maître. Il est perspicace et possède un réel talent de persuasion. Mais il met ces qualités au service de la bassesse et de l'immoralisme. C'est l'homme par qui survient la trahison.

Au contraire de Livie qui ne soupçonne pas le drame intime de son mari, Euphorbe s'aperçoit, le premier, que l'empereur traverse une grave crise morale. Il pressent que celui-ci est las de toujours réprimer et de ne régner que par la force (v. 764 à 768). Cette perspicacité s'accompagne en outre d'une grande force de persuasion. Aux objections de Maxime qui hésite à trahir Cinna par amour pour Émilie, il sait toujours trouver des réponses (III, 1) ; et à tous les problèmes, il apporte des solutions pratiques (comme celle de faire croire à Auguste que Maxime, pris de remords d'avoir comploté contre son empereur, s'est suicidé).

L'habileté et l'intelligence dont témoigne Euphorbe ne le rendent pourtant que plus méprisable. Il s'en sert en effet pour convaincre Maxime de trahir, pour le pousser à commettre une lâcheté. La trahison, dans le code aristocratique de l'honneur, est toujours infâme, toujours contraire à l'héroïsme. Les paroles qu'Euphorbe prononce sont d'ailleurs d'autant plus immorales qu'elles résonnent comme des proverbes faciles à retenir. Dire, par exemple, que « l'amour rend tout permis » (v. 735), c'est justifier par avance les pires

---

1. Sur la conception providentielle de l'Histoire, voir pp. 53 à 55.
2. Voir p. 10, note 1.

actes, c'est confondre ce qui relève de la morale ou de la loi et ce qui appartient à la passion. Affirmer encore comme le fait Euphorbe qu'« on n'est pas criminel quand on punit un crime » (v. 742), c'est oublier qu'une faute ne saurait servir d'excuse ou d'alibi à une autre faute.

Ainsi — même si cela choque le spectateur moderne, même si sa condamnation ressemble à une trop facile disculpation de Maxime qui a eu la faiblesse de l'écouter, — Euphorbe est-il à bon droit accablé de reproches et porte-t-il dans la pièce l'unique responsabilité de la trahison. Il ne devra, lui aussi, son salut qu'au pardon de l'empereur.

4 Source et originalité de Corneille

Corneille n'a imaginé ni la conspiration de Cinna ni la clémence d'Auguste, qui sont des événements authentiques. Le philosophe latin Sénèque (4 av. J.-C. — 65 ap. J.-C.), plusieurs historiens de l'Antiquité [1] et, à leur suite, des historiens français contemporains de Corneille [2], avaient amplement relaté cet épisode de la vie d'Auguste. De nombreux traités de morale, aux XVIe et XVIIe siècles, avaient en outre vanté la générosité de l'empereur, qu'ils proposaient en modèle aux souverains de leur époque. Quand Corneille décida de porter à la scène la conjuration de Cinna, il traitait donc un sujet depuis longtemps fort célèbre, mais qui n'avait encore fait l'objet d'aucune adaptation théâtrale.

■■■■■ SÉNÈQUE INSPIRATEUR DE CORNEILLE

Sa principale source est le *De clementia (De la clémence)* de Sénèque. Dans cet ouvrage de réflexions morales et politiques, Sénèque analyse en philosophe la nature, les diverses formes et les bienfaits de la clémence. Afin d'illustrer son propos, il s'attarde sur l'exemple d'Auguste.

---

1. Chez les historiens latins, il s'agit de Suétone (69-125), auteur de *La Vie des douze Césars* ; parmi les historiens grecs, il s'agit de Plutarque (50-125), d'Appien (second siècle de notre ère) et de Dion Cassius (troisième siècle).
2. Louis Coëffeteau en 1621 et Scipion Dupleix en 1624 avaient chacun de son côté fait paraître une *Histoire romaine* qui racontait largement la vie d'Auguste.

Ces pages du *De clementia* relatives à la conjuration de Cinna étaient d'autant plus connues, même des lecteurs français ignorant le latin, que Montaigne (1533-1592) les avait traduites et retranscrites dans son premier livre des *Essais* (1580), au chapitre 24. C'est d'ailleurs cette traduction de Sénèque par Montaigne que Corneille plaça en tête de l'édition originale de *Cinna* en 1643 [1] . Aussi l'habitude a-t-elle depuis été prise de la reproduire dans toutes les éditions, même usuelles, de la pièce.

A Sénèque, Corneille a emprunté la trame de sa tragédie : la conspiration même de Cinna, l'intervention de l'impératrice Livie en faveur de la clémence, la comparution de Cinna devant Auguste et le pardon de l'empereur.

■■■■■ L'ORIGINALITÉ DE CORNEILLE

Toutefois Corneille ne s'est pas contenté d'adapter ces événements à la scène. En opérant sur eux et à partir d'eux un travail de condensation, d'invention et d'interprétation, il a écrit une œuvre originale et personnelle.

Un travail de condensation

Autant pour respecter l'unité de temps (voir p. 63) que pour renforcer l'intérêt de sa pièce, Corneille a réuni dans une même journée deux événements qui se sont historiquement déroulés à des années de distance. Auguste fut en effet tenté d'abdiquer et il consulta effectivement ses conseillers pour se déterminer ; mais cet épisode de la vie d'Auguste se produisit en l'an 29 avant J.-C. ; il n'eut aucun rapport avec le complot de Cinna, et les conseillers de l'empereur se nommaient Agrippa et Mécène ; quant à la conjuration, elle éclata vingt-trois ans plus tard, en l'an 6 avant notre ère. Par cette contraction du temps, Cor-

----

1. La pièce de *Cinna* est jouée en 1642, mais imprimée pour la première fois en 1643.

neille transfère à Maxime et à Cinna les rôles d'Agrippa et de Mécène, et il donne ainsi à la conspiration une gravité exceptionnelle.

Resserrant le temps, Corneille contracte également l'espace. Dans la réalité, Auguste apprit que Cinna complotait contre lui, alors qu'il se trouvait en Gaule. Le dramaturge situe toute son action à Rome, dans le palais de l'empereur. Non seulement l'unité de lieu (voir pp. 64-65) se trouve réalisée, mais le cadre devient plus prestigieux (cadre que le décor d'une mise en scène doit mettre en valeur) : Auguste y est entouré des marques matérielles de sa toute-puissance.

Un travail d'invention

Corneille crée par ailleurs des personnages qui n'ont historiquement pas existé. Il imagine Euphorbe, Maxime et même Émilie. L'Histoire dit bien que Toranius assassiné par Octave (Auguste) avait une fille du nom d'Émilie, mais celle-ci eut une existence obscure et ne joua dans la réalité aucun rôle dans la conspiration de Cinna. Toutes ses apparitions dans la pièce relèvent donc de la pure fiction.

Des thèmes qui ne figuraient pas dans les sources de Corneille surgissent également. Étudiés plus loin, ils ne seront ici que mentionnés : l'amour mutuel de Cinna et d'Émilie ; la rivalité amoureuse entre Cinna et Maxime ; le désir de vengeance d'Émilie ; l'affection que l'empereur voue à Émilie, à Cinna et, dans une moindre mesure, à Maxime.

De ces thèmes découlent des péripéties elles-mêmes inédites. Corneille invente les hésitations de Cinna, déchiré entre la promesse qu'il a faite à Émilie de tuer Auguste et la gratitude qu'il voue à l'empereur ; il imagine la trahison de Maxime, l'intervention d'Euphorbe.

Un travail d'interprétation

Enfin et surtout, si l'Histoire offrait à Corneille un cadre, une situation et un dénouement, elle le renseignait peu, en revanche, sur les mobiles des conjurés ; elle ne lui disait rien sur la signification à donner à la clémence d'Auguste. Sur ces deux points, Corneille interprète l'Histoire à sa guise. A la conjuration, il confère des mobiles certes plausibles, vraisemblables, mais imaginaires ; à la clémence d'Auguste, il donne une explication et un sens politique et philosophique qui s'inscrit dans une conception providentielle de l'Histoire [1] propre au XVIIe siècle, non à l'Antiquité romaine.

Si nombreux que soient ses emprunts, Corneille ne s'est donc pas borné à mettre l'Histoire sous forme théâtrale. Il lui insuffle une âme, lui donne des visages, une explication. Comme c'est souvent le cas chez les meilleurs dramaturges, les données de l'Histoire constituent la « matière » qu'un grand écrivain repétrit à sa guise. Il est, de nos jours, impossible de se souvenir du Cinna de l'Histoire sans songer au *Cinna* de Corneille. Ce n'est pas, en définitive, l'Histoire qui a rendu célèbre l'aventure de Cinna, c'est *Cinna* qui, grâce à l'originalité de son auteur, a rendu célèbre cette conjuration qui fut pourtant bien réelle.

---

1. Selon la conception providentielle de l'Histoire, c'est Dieu qui guide l'évolution de l'humanité et fixe les grandes étapes de son devenir politique ; voir, pour plus de détails, pp. 53 à 55.

5   L'héroïsme

Avec *Cinna*, Corneille poursuit sa réflexion, entreprise dès *Le Cid* (1637), sur le héros et l'héroïsme, et qui demeurera par la suite au centre de ses préoccupations. Ces notions sont donc capitales tant pour la compréhension de *Cinna* que pour celle du théâtre tout entier de Corneille. En quoi Auguste et, à un moindre degré, Cinna et Émilie, sont-ils des héros ? En quoi et pourquoi leur comportement est-il héroïque ? La réponse à ces questions passe d'abord par une définition, même sommaire, de l'héroïsme cornélien.

■■■ QU'EST-CE QUE L'HÉROÏSME CORNÉLIEN ?

Les mots de « héros » et d'« héroïsme » possèdent des sens si divers qu'il importe d'emblée de les préciser. Dans un premier sens, on entend traditionnellement par « héros » le personnage principal d'un livre (ou d'un film). Dans un second sens, on qualifie de « héros » toute personne qui a une conduite moralement ou physiquement courageuse, pendant une guerre par exemple.

Chez Corneille, le personnage héroïque ne s'identifie pas obligatoirement avec la figure centrale de ses pièces. Dans *Cinna*, précisément, le véritable héros est l'empereur Auguste, non le personnage de Cinna qui pourtant donne son nom à la tragédie ; il en va de même pour *Rodogune* (1645), où le personnage principal est la monstrueuse reine Cléopâtre, non la princesse Rodogune. Le statut de personnage éponyme [1] ne suffit pas à élever au rang de héros. L'héroïsme cornélien ne se réduit pas davantage à la bravoure

---

1. On appelle éponyme le personnage qui donne son nom à une œuvre.

militaire, au courage physique qui, s'ils sont nécessaires (du moins en ce qui concerne les hommes), n'en
sont jamais la condition suffisante. Maxime ne redoute
pas la mort ; il n'est pourtant pas un héros au sens
cornélien du terme. Il convient donc de distinguer les
sens traditionnels du mot « héros » de la signification
particulière que lui donne Corneille.

L'héroïsme tel qu'il le conçoit suppose un certain
nombre de prédispositions. N'est pas en effet dans le
théâtre de Corneille héros qui veut : seuls les nobles
peuvent aspirer à le devenir. La condition, entre toutes
indispensable, est en effet d'être « généreux », au sens
premier du mot, dérivé du latin *genus*, qui signifie la
« race » ; et celui qui est « généreux » est d'abord le
descendant d'une famille noble.

La « générosité » désigne ensuite l'aptitude à agir
d'un noble pour défendre son rang et son honneur.
L'héroïsme cornélien est donc avant tout le privilège
de l'aristocratie. Euphorbe en fournit la preuve
contraire. Parce que c'est un ancien esclave, il est
moralement inapte à concevoir ce que peut être la
noblesse d'âme :

> Jamais un affranchi n'est qu'un esclave infâme ;
> Bien qu'il change d'état [1] , il ne change point d'âme ;
> La tienne, encor servile, avec la liberté
> N'a pu prendre un rayon de générosité.
>
> (v. 1409 à 1412)

La seconde condition découle de la première : il faut
posséder de la « vertu » au sens très particulier où, là
encore, Corneille emploie ce terme. Provenant du mot
latin *vir* (l'homme, le mâle), la « vertu » désigne l'énergie physique puis morale dont un homme est capable.
Corneille, et avec lui tout le XVIIe siècle, pensaient
qu'une haute naissance prédisposait naturellement au
courage. Le mot désigne enfin un ensemble de qualités morales propres aussi bien aux hommes qu'aux
femmes ; il s'agit alors de l'énergie, de la volonté que
met un individu à accomplir ce qu'il croit être son
devoir. En ce sens, Émilie est « vertueuse » non parce
qu'elle est une femme chaste (ce qu'elle est aussi

---

1. Un « affranchi » est un esclave à qui l'on a donné sa liberté ; il a donc
changé d'état social, mais non de mentalité.

évidemment), mais parce qu'elle met tout en œuvre pour venger son père. De même Cinna peut affirmer :

> S'il est pour me trahir des esprits assez bas,
> Ma *vertu* pour le moins ne me trahira pas ;
>
> (v. 311 et 312)

Il prétend que, même en cas de trahison, il aura assez de courage physique et de constance morale pour supporter le châtiment suprême.

Ces deux critères de « générosité » et de « vertu », s'ils sont nécessaires, sont toutefois loin d'être suffisants. Dans le théâtre de Corneille, tous les nobles ne deviennent pas des héros : Maxime, pourtant issu d'une grande famille de Rome, en est un exemple frappant (et dans *Polyeucte* (1642), Félix, qui est politiquement un grand personnage, s'avérera un lâche de la pire espèce). Il faut encore une volonté forte tendue vers un objectif qui apparaîtra à la fin de l'action (mais seulement à la fin de l'action) comme un objectif bénéfique pour la collectivité nationale.

L'héroïsme cornélien est donc une aventure physique, morale et spirituelle, qui vise à atteindre la plénitude de soi, c'est-à-dire à dépasser toutes les contradictions qui peuvent exister pour parvenir à un point de perfection. Aussi cet héroïsme est-il un chemin douloureux qui n'exclut ni la souffrance ni les doutes. Il est l'illustration, portée au plus haut degré, de ce qu'un homme (ou une femme) peut accomplir dans un contexte historique donné. Par des voies différentes qui tiennent à leur situation, Auguste et, dans une moindre mesure, Émilie et Cinna, en apportent la preuve.

■■■■■ L'HÉROÏSME D'AUGUSTE

Auguste *ne naît pas* héros : c'est seulement à la fin de la pièce qu'il le devient. Il *n'est pas* davantage un héros quand débute l'action. Mais *il le devient*, parce qu'il sait constamment se surpasser. D'aspirations confuses à l'héroïsme en tentations anti-héroïques, il parvient non sans peine à la grandeur d'âme la plus haute, qui finit par faire de lui un héros exemplaire.

Des aspirations confuses à l'héroïsme

Qu'il règne depuis des années comme un « tyran » montre assez qu'Auguste n'est pas à l'origine un héros. Pourtant, tout « tyran » qu'il est, Auguste est un homme insatisfait, et son insatisfaction témoigne d'une aspiration confuse à autre chose, qu'il ignore encore et dont il ne sait pas que c'est l'héroïsme. Auguste aurait en effet toutes les raisons d'être heureux : il a passionnément souhaité le pouvoir, il l'a obtenu, il est le maître de Rome. Il n'en traverse pas moins une grave crise morale. S'il peut se réjouir de ce qu'il *a*, il ne peut se réjouir de ce qu'il *est*. Deux indices en témoignent : comme s'il voulait effacer son passé d'assassin et oublier qu'il a ordonné l'exécution de Toranius, il porte à Émilie une affection presque paternelle ; et lassé de régner, il envisage d'abdiquer (II, 1). L'ambition, le pouvoir, ne le fascinent plus : il en a épuisé les charmes, découvert les charges, mesuré les limites. Si, se rangeant à l'avis de Cinna, il demeure au pouvoir, c'est pour le bien de l'État :

> Mon repos m'est bien cher, mais Rome est la plus forte ;
> Et quelque grand malheur qui m'en puisse arriver,
> Je consens à me perdre afin de la sauver.
>
> (v. 622 à 624)

Auguste possède un sens — réel — du sacrifice. S'il n'est pas encore un héros, il fait montre de deux qualités essentielles pour le devenir : le refus de la jouissance (des plaisirs et privilèges apparents que procure le pouvoir) et la conscience de l'intérêt de l'État, de ce qu'il doit régner non pour lui, mais pour Rome.

La tentation anti-héroïque

Ces qualités ne l'empêchent pas pourtant d'éprouver la plus forte des tentations anti-héroïques : celle du suicide, qui est une fuite. Sa première réaction, après la découverte de la conjuration de Cinna, est en effet de ne pas agir, de faire comme s'il ne savait rien, donc de laisser se dérouler le complot et de se faire assassiner. La répétition anaphorique [1] de « Meurs » dans le long monologue de la scène 2 de l'acte IV illustre l'impossibilité dans laquelle se trouve Auguste de prendre une décision ; elle exprime son découragement. Devant la conspiration la plus grave de son règne, Auguste hésite, s'avoue en quelque sorte vaincu. Si, dans un sursaut (v. 1179 et 1180), il paraît vouloir punir Cinna, il n'en demeure pas moins en proie au doute :

> Ou laissez-moi périr, ou laissez-moi régner.
>
> (v. 1192)

La grandeur d'âme héroïque

Ce n'est qu'après avoir touché le fond du désespoir qu'Auguste parvient à l'héroïsme en accordant son pardon aux conjurés. Sa clémence, pour être correctement interprétée, doit s'analyser sous trois angles : en quoi diffère-t-elle du pardon que lui a auparavant suggéré Livie ? qu'implique-t-elle pour être héroïque ? comment naît-elle dans l'esprit de l'empereur ?

Dans un premier temps, Auguste repousse l'idée de Livie ; il la repousse même avec quelque violence :

> Vous m'aviez bien promis des conseils d'une femme :
> Vous me tenez parole, et c'en sont là, madame.
>
> (v. 1245 et 1246)

Le ton est presque insultant, comme si une femme ne pouvait donner, en matière politique, que de mauvais conseils. Deux raisons incitent l'empereur à rejeter la solution de la clémence. Ses effets sont aléatoires (ne pas châtier des criminels peut encourager le crime), contraires au droit et aux obligations de tout souverain ; la « seule pensée » du régicide est un « crime d'État »,

> Une offense qu'on fait à toute à sa province [= son pays],
> Dont il faut qu'il la venge, ou cesse d'être prince.
>
> (v. 1253 et 1254)

Ensuite Livie méconnaît la crise morale que traverse son mari. Pour elle, la clémence n'est qu'une habileté,

---

1. On appelle anaphore la répétition d'un ou plusieurs mots en tête de plusieurs vers (voir v. 1170, 1171, 1175, 1176 et 1179).

qu'un coup médiatique, dirait-on aujourd'hui, qu'une manière de pouvoir régner plus tranquillement. Or le drame d'Auguste ne consiste pas à conserver ce qu'il a déjà, mais à devenir un autre homme que celui qu'il est.

Le pardon qu'il octroie aux conjurés est en revanche héroïque dans la mesure où il résulte d'une évolution morale du personnage. Auguste en effet commence d'abord par changer lui-même avant d'absoudre autrui. Il renonce à une légitime colère (« Je triomphe aujourd'hui du plus juste courroux », v. 1699) ; il oublie les injures du passé (« Soyons amis, Cinna, c'est moi qui t'en convie » v. 1701) ; il se dépouille de tout égoïsme et de toute ambition (v. 1705 à 1708) ; il propose à Cinna une compétition généreuse pour savoir qui des deux se montrera le meilleur. Auguste cesse d'être un « tyran », par un prodigieux effort sur lui-même, comme l'indiquent les vers suivants :

> Je suis maître de moi comme de l'univers ;
> Je le suis, je veux l'être.

(v. 1696 et 1697)

Octave l'ambitieux [1] est définitivement mort. Auguste instaure un nouveau système de valeurs, fondé non plus sur la force et la répression, mais sur la bonté.

Sa décision se caractérise enfin par l'absence de toute délibération explicite, à la différence de celle de Rodrigue (dans *Le Cid*) ou d'Horace (dans la pièce du même nom) qui ont, tous deux, besoin de réfléchir, de se préparer pour parvenir à l'héroïsme. Aucune stance [2], aucun monologue préparatoire n'annonce la clémence impériale. Il n'y a qu'un effort prodigieux sur soi, quasi instantané, par lequel Auguste meurt à son passé pour devenir un homme nouveau régénéré par l'épreuve. La soudaineté de sa décision éclate comme si elle provenait d'une inspiration subite des dieux [3].

---

1. Sur le passé d'Octave, le futur Auguste, voir chapitre 3, pp. 15-16.
2. Une stance est une strophe composée de vers de longueur variable ; elle exprime généralement une souffrance aiguë ; voir par exemple les stances de Rodrigue dans *Le Cid* (I, 6).
3. Voir la conception providentielle de l'Histoire, pp. 53 à 55.

Un héros exemplaire

De fait, Auguste voit son héroïsme aussitôt récompensé. Maxime, Cinna, Émilie et, à travers eux, les républicains, admirent sa générosité, adhèrent désormais à sa personne, le reconnaissent comme le maître légitime de l'empire. Par la bouche de Livie (voir les vers 1753 à 1756), les dieux approuvent la clémence impériale et la réconciliation des Romains entre eux. Plus jamais, font-ils savoir, de conspiration ne se fomentera contre l'empereur (ce qui est historiquement exact : le complot de Cinna fut le dernier qu'Auguste dut affronter) ; Auguste prendra place, après sa mort, parmi les dieux de l'Antiquité [1] ; et la postérité gardera le souvenir de son geste magnanime. Auguste deviendra le modèle même des bons souverains.

■■■■ L'HÉROÏSME D'ÉMILIE

Comme l'empereur, Émilie est un personnage qui évolue et qui n'accède que tardivement à l'héroïsme. Mais son cheminement est différent de celui d'Auguste : longtemps en effet elle vit dans un faux héroïsme qui l'aveugle pour finir par découvrir ce qu'est la véritable générosité.

L'illusion de l'héroïsme

Parce qu'elle prétend agir par idéal — venger son père, faire renaître la liberté dans Rome, Émilie s'imagine être une femme héroïque. Son comportement n'est pas toutefois à la hauteur de ses intentions proclamées. Le véritable héroïsme ne réside pas en effet dans des mots, si nobles soient-ils. Or Émilie se paie trop souvent de mots, au point de se cacher à elle-même la réalité. Même si elle affirme se servir des largesses de l'empereur pour recruter des conspirateurs (vers 78 à 84), elle n'en vit pas moins depuis des

---

1. Les Romains considéraient que les héros devenaient des dieux après leur mort ; c'est ce qu'on appelle au sens strict une « apothéose ».

années dans une situation fausse, haïssant Auguste mais acceptant ses bienfaits. Ensuite, Émilie parle et rêve trop. Comme un esprit romanesque qui se complairait dans l'univers fictif de la parole, elle rêve sa propre mort, elle la met en scène et elle imagine déjà les mots, ultimes, d'amour et de reproche qu'elle pourrait adresser à Cinna (vers 1044 à 1048). Les appels aux « grands dieux » traduisent le même excès, le même délire verbal :

> Il [Auguste] peut faire trembler la terre sous ses pas,
> Mettre un roi hors du trône et donner ses États,
> De ses proscriptions [1] rougir la terre et l'onde,
> Et changer à son gré l'ordre de tout le monde ;
> Mais le cœur d'Émilie est hors de son pouvoir.
>
> (v. 939 à 943)

Mettre son « cœur » si haut n'est pas de l'héroïsme, c'est de l'orgueil et de la démesure. Enfin, Émilie ne se soucie guère de ce qu'il adviendrait réellement après l'assassinat d'Auguste ; elle ignore, elle veut ignorer l'inéluctable et atroce guerre civile qui s'ensuivrait.

Pour toutes ces raisons, l'héroïsme apparent d'Émilie ressemble à de l'aveuglement, à une illusion. Il y a en définitive dans la haine qu'elle voue à l'empereur quelque chose de violent, de bavard, d'irréaliste qui s'accorde mal avec la prudence et les précautions qui seraient le propre d'une conspiration.

La dénaturation [2] héroïque

L'aveuglement conduit en outre Émilie à dénaturer l'héroïsme et la générosité d'autrui. Ce qui sert sa haine devient automatiquement moral à ses yeux ; ce qui la dessert est mauvais. Ceux qui l'aident à accomplir sa vengeance sont estimables ; ceux qui hésitent à le faire sont indignes ou lâches. A aucun moment, elle ne veut prendre en compte les scrupules de Cinna. « Vous faites des vertus au gré de votre haine »

---

1. Les « proscriptions » étaient des mesures d'exil avec confiscation des biens de ceux qui étaient ainsi bannis. S'ils ne quittaient pas l'Italie, ils pouvaient immédiatement être mis à mort.
2. La dénaturation est une corruption, une altération.

(v. 977), lui dit-il douloureusement. Aussi la qualifie-t-il à plusieurs reprises d'« inhumaine » (vers 798, 905, 1055). L'adjectif possède ici toute sa valeur, toute sa force originelle ; dans le vocabulaire précieux [1], il désignait une femme insensible à l'amour qu'un homme lui porte : tel n'est pas son sens dans la pièce, puisqu'Émilie aime Cinna ; « inhumaine » revêt le sens premier de « qui n'a rien d'humain », « qui ne semble pas appartenir à la nature ou à la condition humaine » :

> Mais l'empire inhumain qu'exercent vos beautés
> Force jusqu'aux esprits et jusqu'aux volontés.
> Vous me faites priser [2] ce qui me déshonore ;
>
> (v. 1055 à 1057)

Émilie pousse si loin son obstination, elle demeure tellement indifférente aux scrupules de Cinna qu'elle paraît exercer sur autrui un pouvoir maléfique, jusqu'à perdre moralement ceux qui pourtant veulent la servir.

La conversion à l'héroïsme authentique

Émilie accède cependant à la fin de la pièce au véritable héroïsme. Livie l'invite à oublier le passé :

> C'en est trop, Émilie ; arrête et considère
> Qu'il [Auguste] t'a trop bien payé les bienfaits de ton père :
> Sa mort, dont la mémoire allume ta fureur,
> Fut un crime d'Octave et non de l'empereur.
>
> (v. 1605 à 1608)

Elle lui fait comprendre que le temps s'est écoulé depuis le meurtre de son père Toranius, que les hommes et les choses ont évolué. La clémence de l'empereur lui en apporte la confirmation immédiate, éclatante. Émilie ouvre enfin les yeux sur le présent, sur la réalité. Aussi le pardon d'Auguste la force-t-elle à se surpasser, à se dépasser elle-même. C'est ce qu'elle accepte de faire. Auguste ne la priait que de renoncer à sa haine privée : « Apprends à mon

---

1. La préciosité désigne le mouvement moral et littéraire qui, dans les années 1640-1660, raffinait sur les sentiments et le langage. Molière se moquera des excès de ce mouvement dans *Les Précieuses ridicules* (1658).
2. « Priser » : estimer.

exemple à vaincre ta colère » (v. 1713) ; elle choisit d'y ajouter les gages de la fidélité et du loyalisme. Celle qui voulait « vivre sans maître » (v. 1002) se transforme en « sujet fidèle » (v. 1727) et adopte discrètement les thèses politiques de Cinna — que pourtant elle combattait naguère — sur la supériorité de l'empire sur la république (v. 1721 à 1728).

Comme Auguste, Émilie finit donc par trouver son équilibre, son bonheur (puisqu'elle épouse Cinna) et sa grandeur, puisqu'elle a su triompher, pour le plus grand bien de tous, de ses erreurs et de ses illusions.

■■■■■ L'HÉROÏSME DE CINNA

Comparée à l'évolution d'Auguste et d'Émilie, celle de Cinna paraît beaucoup moins importante, et son héroïsme réside moins en une évolution intérieure que dans son courage. Longtemps déchiré entre deux fidélités contradictoires (voir pp. 19 à 21), Cinna finit en effet par s'affirmer. Il résiste à Émilie. Lui qui la servait, lui qui l'adorait, refuse, devant l'empereur, de passer pour un simple exécutant et prétend assumer l'entière responsabilité du complot :

> Elle n'a conspiré que par mon artifice [1] ;
> J'en [2] suis le seul auteur, elle n'est que complice.
>
> (v. 1637 et 1638)

Sa déclaration est d'autant plus courageuse qu'à cet instant Cinna est convaincu que la mort l'attend. Par là Cinna retrouve non seulement son honneur mais accède à une grandeur certaine. La clémence d'Auguste ne peut que provoquer son admiration :

> O vertu sans exemple ! ô clémence qui rend
> Votre pouvoir plus juste, et mon crime plus grand !
>
> (v. 1731 et 1732)

Pour avoir témérairement tout risqué par amour pour Émilie, Cinna, grâce à sa vaillance finale, obtient la main d'Émilie et retrouve l'affection de l'empereur.

---

1. « Artifice » : ruse, mauvaise influence.
2. « En » : la conspiration.

6 Le tragique

Le tragique tient au sujet même de la pièce la tentative d'assassinat d'un empereur par ses intimes. Il réside aussi dans les conséquences désastreuses que cet assassinat aurait pour l'empire tout entier. Mais ce tragique soulève une question : comment concilier sa présence avec le dénouement heureux de *Cinna* ?

UNE QUESTION DE VIE OU DE MORT

Le tragique naît de la menace mortelle qui plane sur les personnages. Tour à tour, Auguste (victime désignée du complot), Cinna et Émilie (après la découverte de la conspiration), Maxime enfin (après qu'il s'est lui-même livré) risquent leur vie. Le péril que tous encourent paraît d'autant plus pressant que rien ne semble devoir le réduire. Les trois premiers actes de la pièce évoquent les préparatifs minutieux du complot auquel Auguste n'a que peu de chances d'échapper. Seule, la trahison inattendue de Maxime le sauvera. La menace dès lors se déplace. Ce sont désormais les conjurés qui sont en danger. Aucun d'eux ne nourrit d'ailleurs d'illusions sur le sort qui les attend (voir les vers 1655 et 1688). Intervenant dans la dernière scène du dernier acte, la clémence d'Auguste est suffisamment tardive et soudaine pour que dure jusqu'au bout l'inquiétude.

L'OMBRE DU PARRICIDE

Au sens strict, le parricide désigne le meurtre du père ; par extension, il qualifie l'assassinat de tout parent par l'un de ses descendants. Certes, dans *Cinna*, aucun personnage ne tue ou ne projette de tuer son père naturel. Mais, tant dans la pièce que dans son arrière-plan historique, les liens qui unissent ou qui ont uni les personnages sont si forts que ceux-ci forment presque une famille. C'est en ce sens que domine l'ombre du parricide.

En arrière-plan, il y a en effet le meurtre de Toranius, le père d'Émilie, par Octave (le futur Auguste). Or Toranius était le « tuteur [1] » d'Octave. C'est comme si ce dernier avait tué son propre père. Si, pour cette raison, Émilie hait Auguste, celui-ci en est depuis venu à la considérer comme sa propre fille : « Toi, ma fille aussi » (v. 1561), lui dit-il quand il apprend sa participation au complot ; et, plus tard, Auguste parlera de son « amour » qui « a fait choix d'Émilie » (v. 1590) pour qu'elle lui tienne lieu de fille. Le vocabulaire dont il use à l'égard de Cinna pourrait être également celui d'un père : « Je t'ai donné la vie » (v. 1702), lui fait-il remarquer [2].

Enfin, pour les spectateurs du XVIIe siècle, l'ombre du parricide était d'autant plus évidente que le mot parricide était alors synonyme de régicide. Mais même si ce sens s'est aujourd'hui perdu, il n'en demeure pas moins que la tentative d'assassinat d'Auguste par les êtres qui lui sont les plus chers confère au tragique de la mort une émouvante dimension supplémentaire.

■■■ UNE TRAGÉDIE D'ÉTAT

Si, physiquement, c'est la personne de l'empereur qui est visée, politiquement, c'est son trône qui est menacé. Au travers et au-delà d'Auguste se jouent non seulement l'avenir institutionnel de Rome (la république ou l'empire), mais aussi la paix ou la guerre et, en définitive, le sort de chaque Romain, la capacité de Rome à maintenir la domination sur le monde. A intervalles réguliers, cet enjeu collectif, historique, est rap-

---

1. Voir p. 7, note 2.
2. Auguste a « donné la vie » à Cinna dans le sens où la famille de Cinna faisait partie des ennemis d'Auguste et que celui-ci l'a épargné ; voir p. 19.

pelé dans la pièce. Auguste n'accepte par exemple de demeurer au pouvoir que pour le bien de Rome (voir les vers 621 à 624) ; et c'est encore l'avenir de Rome qu'Auguste évoque devant Cinna quand il lui demande les raisons de sa participation au complot (voir les vers 1509 à 1540). L'assassinat de l'empereur ouvrirait en effet une nouvelle page sanglante de l'histoire romaine.

En s'étendant au devenir même d'une nation, aux (éventuelles) conséquences politiques du complot, le tragique prend une ampleur exceptionnelle. *Cinna* satisfait de la sorte à une des lois majeures du genre qui, au XVIIe siècle, exigeait que la tragédie mît en scène « quelque grand intérêt d'État ». Or il ne peut y en avoir de plus grand que celui qui concerne la destinée d'un peuple.

■ CRISE TRAGIQUE ET DÉNOUEMENT HEUREUX

La présence du tragique n'empêche pourtant pas la pièce de bien se terminer. Le dénouement est en effet heureux puisqu'aucun personnage ne meurt et que l'œuvre s'achève dans une atmosphère de réconciliation générale. N'y a-t-il pas là une contradiction ?

Cette contradiction n'est en réalité qu'apparente. Aucune des règles qui régissaient la tragédie classique n'imposait qu'une tragédie se termine mal. Une fin funeste (comme celle de la *Phèdre* de Racine, par exemple) était une possibilité, non une obligation. Il importait en revanche que toute tragédie fût construite sur la notion de crise. On entendait par ce mot la difficulté du personnage principal à trouver une solution immédiate aux problèmes qui l'assaillent.

Or, dans *Cinna*, la crise est permanente. Pour la première fois, en effet, une conjuration place Auguste dans une situation pour laquelle il n'existe (avant la clémence finale) aucune solution satisfaisante. Auguste ne peut continuer à châtier les conjurés comme il le fait depuis « vingt ans » sous peine de voir les conspirations se poursuivre. Le fait même que le complot de Cinna se produise après beaucoup d'autres prouve à l'évidence que la répression n'est pas une méthode de gouvernement efficace. Comment, en outre, condamnerait-il à mort des êtres chers ? Se laisser, par lassitude, assassiner, comme Auguste l'envisage un instant (v. 1170 à 1184), n'est pas davantage une solution. Sa mort plongerait Rome dans de nouvelles guerres civiles. C'est cette crise, à la fois politique et morale, qui fait que la pièce est une tragédie.

7 La politique dans Cinna

La politique constitue l'un des thèmes essentiels de *Cinna*. C'est un thème fort riche et d'une grande complexité, puisqu'il revêt quatre aspects : le débat sur les mérites respectifs de la république et de l'empire, qui oppose Cinna et Maxime, quand Auguste les consulte (II, 1) ; la situation politique d'Auguste (voir p. 51) ; la conception providentielle de l'Histoire (voir p. 53) que Corneille développe dans sa pièce ; les allusions enfin de *Cinna* à l'actualité française des années 1640 à 1642.

■■■■ LA RÉPUBLIQUE OU L'EMPIRE ?

Avec la longue scène 1 de l'acte II (292 vers) dans laquelle Auguste, tenté d'abdiquer, demande conseil à Cinna et à Maxime, la pièce est l'occasion d'un débat sur les mérites respectifs de la république et de l'empire. Maxime défend la première, Cinna le second.

L'éloge de la république

La défense qu'entreprend Maxime du régime républicain repose sur trois arguments essentiels. Depuis l'expulsion, en 509 avant notre ère, du dernier de ses rois (Tarquin le Superbe), Rome voue une haine viscérale à la monarchie et à tout ce qui la rappelle de près ou de loin ; or l'empire n'est qu'une variante de la monarchie, dans la mesure où un homme seul exerce le pouvoir à vie ; il n'est donc pas accepté par les Romains (v. 481 à 488). Le second argument de Maxime en appelle tout autant à l'Histoire : c'est la Rome républicaine, non la Rome royale ou impériale, qui a conquis le monde méditerranéen, c'est sous le gouvernement des consuls [1] élus annuellement qu'elle a dominé l'Europe ; la république est donc le meilleur régime politique qui soit pour maintenir ou accroître sa puissance (v. 529 à 533). Enfin Maxime expose une « théorie des climats », annonciatrice de celle de Montesquieu [2] ; selon cette théorie, chaque peuple adhère à un système de gouvernement conforme à ses mœurs, à la géographie et au climat de son pays ; et il est dans les habitudes de Rome et la nature de l'Italie de n'aimer que la république (v. 535 à 544). Aussi Maxime encourage-t-il Auguste à démissionner et à rétablir la république.

On ne doit pas s'étonner de ce plaidoyer en faveur d'un régime politique inconnu des spectateurs français du XVIIe siècle qui vivaient sous une monarchie, non dans une république. Attesté par les historiens, le mépris des Romains pour la royauté était connu de tous. Par ailleurs, comme bon nombre de ses contemporains, Corneille, aussi étonnant que cela paraisse, était monarchiste pour la France, mais il était, par convention culturelle, républicain pour la Rome antique.

L'éloge de l'empire

Cinna vante au contraire auprès d'Auguste le régime impérial, c'est-à-dire le gouvernement d'un seul. Le fait qu'il anime une conspiration de républicains n'enlève rien à la rigueur de son raisonnement. Il faut même que celui-ci soit intellectuellement convaincant pour que Cinna puisse atteindre le but qu'il recherche : faire en sorte qu'Auguste reste au pouvoir, afin de l'assassiner (et, par la même occasion, d'épouser Émilie).

Philosophiquement, le système républicain, soutient-il, est en soi mauvais : l'élection favorise la

---

1. Voir p. 15, note 3.
2. Dans *L'Esprit des lois* (1748), Montesquieu (1689-1755) soutient que la forme constitutionnelle d'un État (république, monarchie, empire...) est influencée par la géographie, la climatologie, l'économie, la superficie du pays.

démagogie [1], exclut la raison et aboutit à la corruption, à la vénalité [2] des citoyens (v. 510 à 512). Politiquement, poursuit-il, ce système mène à l'impuissance, à la paralysie du pouvoir : élus pour un an, les deux consuls se soucient peu de l'avenir, ne songent qu'à s'enrichir rapidement et conduisent une politique au jour le jour (v. 513 à 520). Historiquement enfin, la république a connu beaucoup de désastres et, depuis plus de soixante ans [3], elle favorise l'anarchie, voit se multiplier des partis qui s'entredéchirent (v. 571 à 600). Aujourd'hui, conclut-il, la liberté que la république se proposait de maintenir « ne peut plus être utile »

> Qu'à former les fureurs d'une guerre civile   (v. 586)

En revanche, l'empire possède l'incontestable avantage de maintenir l'ordre et d'assurer la paix aux frontières : depuis qu'Auguste règne aucune guerre n'a éclaté. Un empereur gouverne mieux que des élus :

> Avec ordre et raison les honneurs il dispense,
> Avec discernement punit et récompense,
> Et dispose de tout en juste possesseur
> Sans rien précipiter de peur d'un successeur.
>
> (v. 505 à 508)

Non seulement Cinna exhorte Auguste à demeurer au pouvoir, mais il le supplie de songer à la survie de l'empire après sa mort et de prévoir dès maintenant les mécanismes de sa succession (v. 617 à 620).

Ce débat reçoit une double conclusion, d'abord temporaire, puis définitive. Sur le moment, Auguste le clôt à l'avantage de Cinna puisqu'il décide de rester au pouvoir pour le « bien » de Rome. Sur le fond, la contradiction qui existe entre la liberté (exaltée par les républicains) et l'autorité (défendue par les partisans de

---

1. La démagogie consiste à flatter les gens en leur promettant ce que l'on sait fort bien à l'avance ne pas pouvoir tenir ou réaliser.
2. « Vénalité » signifie « qui peut être acheté » ; il n'était pas rare dans la Rome républicaine qu'un candidat donnât de l'argent à des électeurs pour qu'ils votent pour lui.
3. Historiquement et juridiquement, la république romaine cesse d'exister avec l'avènement d'Auguste au pouvoir en 27 avant J.-C. ; mais, depuis longtemps, elle connaissait une crise profonde, dont les premiers symptômes apparurent vers les années 110 avant notre ère.

l'empire) ne se trouve résolue que dans et par l'héroïsme final de l'empereur (voir p. 40).

■■■■■■ LA SITUATION POLITIQUE D'AUGUSTE

Bien qu'il soit un dictateur, Auguste n'en est pas moins un homme politique habile. A peine parvenu au pouvoir, il s'est intelligemment efforcé de panser les plaies de la guerre civile, comme en témoigne le sort, envié de tous, de Cinna. Mais le pouvoir de l'empereur reste aux yeux des républicains entaché de deux tares majeures : il s'est originellement imposé par le fer et par la force ; et il ne se maintient depuis sur le trône que par l'intimidation et la violence. C'est soulever le problème de la légitimité d'Auguste, de son pouvoir : a-t-il ou non le droit (non les moyens : il les a) de régner ? En d'autres termes, est-il ou n'est-il pas un usurpateur ? La réponse à cette question passe par l'examen des théories politiques qui avaient cours en France. Bien que *Cinna* relate l'histoire d'une conjuration qui s'est déroulée à Rome en l'an 6 avant notre ère, Corneille analyse en effet la situation d'Auguste par rapport aux conceptions françaises, qui s'efforçaient de définir les différentes sortes de pouvoirs possibles.

La situation d'Auguste au regard des théories politiques du XVIIᵉ siècle

Au XVIIᵉ siècle, on ne parlait pas de dictature et de dictateur ; on usait plus volontiers des mots « tyrannie » et « tyran ». On distinguait ainsi deux « tyrannies » : la « tyrannie d'usurpation » qui était une appropriation par la force du pouvoir (par un coup d'État, dirait-on aujourd'hui), et la « tyrannie d'exercice », qui se confondait avec la dictature. Ces deux « tyrannies » ne se rejoignaient pas obligatoirement. Un roi (ou un empereur), monté légalement sur le trône (qui n'était donc pas un usurpateur) pouvait fort bien, par la suite, se comporter en dictateur et devenir un « tyran d'exercice » ; à l'inverse, un usurpateur pouvait ensuite régner sans être trop cruel. Tous les cas de figure étaient donc possibles : on pouvait être un « tyran d'usurpation » sans être un « tyran d'exercice » ; un « tyran d'exercice » sans avoir été un « tyran d'usurpation » ; mais on pouvait être également les deux à la fois.

Originellement, l'autorité d'Auguste relève de la « tyrannie d'usurpation ». Sa qualité de fils adoptif de Jules César ne faisait pas automatiquement de lui un successeur. Les lois de Rome n'admettaient pas en effet le principe de la filiation pour accéder au pouvoir. Auguste a conquis son autorité par les armes.

Mais Corneille développe l'idée, alors courante en France, qu'une autorité politique, même quand elle s'était imposée par la force, finissait par être justifiée dès lors qu'elle se maintenait durablement et qu'elle n'attentait plus à la vie et aux biens des personnes. C'est ce que veut dire Cinna, quand il affirme que « tous les conquérants »

> Pour être usurpateurs ne sont pas des tyrans
>
> (v. 424)

Autrement dit, l'exercice tempéré du pouvoir parvenait à la longue à faire oublier ses origines douteuses, violentes, donc illégales.

Or Auguste règne depuis « vingt ans » (v. 1248) au milieu d'une gloire sans pareille sur un empire en paix. La répression ne s'abat que sur ceux qui se dressent contre lui. Elle intimide certes les autres Romains, mais elle les laisse vivre en toute tranquillité et s'occuper de leurs affaires personnelles, dès lors qu'ils ne songent pas à contester le pouvoir en place. Au regard des théories politiques du XVIIe siècle, l'autorité d'Auguste est donc devenue légale, c'est-à-dire qu'elle repose sur un état du droit qui s'inscrit dans la durée. Pour la grande majorité des habitants de l'empire, Auguste n'est plus un « tyran d'exercice ».

La faiblesse d'Auguste

La faiblesse de son pouvoir réside toutefois dans l'hostilité des cœurs et des esprits. Rome subit en fait l'autorité d'Auguste plus qu'elle ne l'admet. Elle la supporte sans y adhérer ; tout ce qu'elle compte de « gens de cœur » et d'« illustre jeunesse » (v. 1172 et 1173) travaille à la chute du régime. Ce manque d'adhésion spontanée, intime, de l'élite romaine envers son empereur rend douteuse la légitimité d'Auguste.

Émilie, enfermée dans sa vengeance, et les républicains, qui n'ont pas oublié leur idéal, ne se souviennent que de l'usurpateur :

> *Je demeure toujours* la fille d'un proscrit
>
> (v. 72)

dit Émilie ; elle s'oppose sur ce point à l'impératrice Livie qui considère que la conquête et l'exercice du pouvoir finissent par faire oublier la manière dont on a conquis ce même pouvoir :

> Tous ces crimes d'État qu'on fait pour la couronne,
> Le Ciel nous en absout alors qu'il nous la donne,
> Et dans le sacré rang où sa faveur l'[1] a mis,
> Le passé devient juste et l'avenir permis.
>
> (v. 1609 à 1612)

Auguste est ainsi à la recherche non d'un moyen de garder et d'exercer le pouvoir (depuis vingt ans qu'il règne il sait comment faire), mais d'une reconnaissance populaire, d'un consensus, dirait-on aujourd'hui. Seul l'héroïsme final [2] dont il témoignera en pardonnant aux conjurés lui permettra de l'obtenir.

■■■ UNE CONCEPTION PROVIDENTIELLE DE L'HISTOIRE

Catholique fervent, Corneille pensait (comme beaucoup de ses contemporains) que l'histoire des nations et des États était dans ses grandes lignes guidée par

---

1. « L' » : Auguste.
2. Voir p. 40.

Dieu, par la Providence [1] : d'où le qualificatif de « providentielle » accolé à cette vision particulière de l'Histoire. Cela ne signifiait nullement que la Providence approuvât les violences guerrières, ni même que chaque événement ait été voulu par Dieu ; mais, en dépit et par-delà les soubresauts et les malheurs, l'Histoire s'acheminait vers un état de perfection, sous la conduite de Dieu qui déterminait les grandes étapes de l'évolution de l'humanité.

Corneille imprègne de ses convictions personnelles l'action de *Cinna*, bien que la pièce se déroule dans une Rome païenne qui ne connaît pas encore le christianisme. En l'an 6 avant notre ère (date de l'action) le Christ n'était pas encore né, et il serait évidemment absurde de transformer Auguste en un chrétien avant l'heure.

Il n'en demeure pas moins que Corneille (ré)interprète la clémence d'Auguste dans une optique chrétienne. Le vocabulaire qu'il utilise demeure suffisamment vague pour qu'il convienne à l'Antiquité païenne et à l'ère chrétienne. Maxime avait averti ainsi l'empereur que la tentation d'abdiquer était peut-être « un avis secret » du « Ciel » (v. 493), l'enjoignant de trouver une façon moins tyrannique de gouverner. Hésitant sur le sort à réserver aux conspirateurs, c'est encore au « Ciel » qu'Auguste s'en remet : il « m'inspirera », dit l'empereur, « ce qu'ici je dois faire » (v. 1258). Enfin la pièce s'achève sur une véritable prophétie de Livie ;

> Oyez [2] ce que les dieux vous font savoir par moi ;
> De votre heureux destin c'est l'immuable loi.
> Après cette action, vous n'avez rien à craindre
>
> (v. 1755 à 1757)

Ainsi se trouve suggérée l'action de la Providence. Les « dieux » ont inspiré à Auguste son geste de clémence et l'empereur les a écoutés. *Cinna* s'achève sur une double et grandiose réconciliation : celle d'Auguste avec les Romains, et celle de l'homme avec

---

1. La Providence est, dans le catholicisme, l'un des autres noms de Dieu.
2. « Oyez » : impératif de l'ancien verbe « ouïr » (entendre).

la Divinité. L'optimisme chrétien de Corneille atteint ici sa plus haute expression.

■■■■■ LA POLITIQUE DANS CINNA ET LA SITUATION DE LA FRANCE VERS 1640-1642

Bien que *Cinna* relate un épisode de l'histoire romaine datant de l'an 6 avant J.-C., la pièce n'en répondait pas moins aux préoccupations de la France du XVIIe siècle. Il en allait de *Cinna* comme de toute tragédie classique : de constantes allusions à l'actualité la traversent, et un spectateur averti pouvait aisément les déceler.

Dans la France de Louis XIII comme dans la Rome d'Auguste, les conspirations se multiplient en effet. De nombreux nobles supportaient mal la politique de Richelieu, qu'ils jugeaient trop répressive et trop centralisatrice, parce qu'elle tendait à limiter leur influence. En 1640, le duc de Vendôme [1], accusé d'avoir voulu assassiner Richelieu, s'était réfugié en Angleterre. L'absence de preuves manifestes et la fuite rendaient sa condamnation et son châtiment impossibles. Richelieu recommanda toutefois à Louis XIII de pardonner au duc de Vendôme et de l'autoriser à rentrer en France. Quelques mois plus tard, durant l'été 1641, Richelieu préconisait un accommodement avec des nobles français qui, s'étant révoltés contre le pouvoir royal, avaient levé une armée et remporté la bataille de La Marfée (6 juillet 1641), grâce en partie à l'appui de l'Espagne. Mais ces nobles, voyant que leur victoire ne leur permettrait pas de renverser Richelieu, cherchaient à négocier leur reddition ; et Richelieu était favorable à une solution diplomatique. A travers l'éloge de la générosité d'Auguste, Corneille entendait-il célébrer l'attitude clémente de Richelieu ?

---

1. Fils de Henri IV et de Gabrielle d'Estrées, le duc de Vendôme était le frère naturel de Louis XIII.

L'objection majeure que l'on puisse formuler contre cette hypothèse réside dans le fait qu'en août et septembre 1642 — date probable de la création de *Cinna* — un autre conspirateur célèbre, Cinq-Mars, était jugé à Lyon, condamné à mort et exécuté[1]. Aussi, tenant compte du délai nécessaire à l'écriture de la pièce, aux répétitions et à la préparation du spectacle (délai qui implique que Corneille ait terminé *Cinna* vers la fin de l'année 1641 ou au tout début de 1642), on peut avec René Pintard[2] avancer l'hypothèse suivante : Richelieu aurait approuvé le projet où même le titre de la pièce à l'époque où lui-même préconisait la clémence, pour le duc de Vendôme par exemple ; mais *Cinna*, joué quelques mois plus tard, aurait été en quelque sorte dépassé par l'actualité et par l'évolution de Richelieu qui se serait entre temps rallié à une politique de fermeté.

Quoi qu'il en soit de cette hypothèse, *Cinna* paraît bien prendre la défense de Richelieu. Son gouvernement, si contesté soit-il, est établi depuis trop d'années (Richelieu dirige la France depuis 1624) pour que ses capacités soient mises en doute. Son autorité est d'ailleurs nécessaire au maintien et à la construction de l'État. Mais il appartient à Richelieu de définir une politique de réconciliation afin que s'achève le cycle sanglant des conspirations et de la répression. Richelieu notera d'ailleurs dans son *Testament politique*, rédigé à l'intention de Louis XIII : « Le dernier point de la puissance des princes doit consister en la possession du cœur de leurs sujets[3]. » A Richelieu , semble dire Corneille, de s'inspirer de l'exemple d'Auguste.

---

1. Favori de Louis XIII, Cinq-Mars (1620-1642) mourut sur l'échafaud. Alfred de Vigny (1797-1863) écrivit sur ce personnage le roman historique de *Cinq-Mars* (1826).
2. René Pintard, « Autour de *Cinna* et de *Polyeucte* », *Revue d'histoire littéraire de la France*, 1964, pp. 377 à 413.
3. *Testament politique de Richelieu*, L. André, éd. Laffont, 1945, IIᵉ partie, chap. IX.

Bien que *Cinna* relate l'histoire d'une conspiration et qu'elle soit donc une pièce politique, l'amour n'en est pas moins présent. Cinna et Émilie s'aiment en effet, et c'est encore par amour que, sous l'influence néfaste d'Euphorbe, Maxime trahit ses amis. Cette intrigue amoureuse émut même davantage le public du XVIIe siècle que le drame personnel d'Auguste. Avec Cinna et Émilie, la pièce consacre la naissance d'un couple qui, dans des circonstances dangereuses, voire mortelles, s'affirmera plus solidement uni qu'il ne l'aurait été dans une vie paisible et ordinaire. Absolu, romanesque, leur amour, d'abord contraire à l'héroïsme, les conduit dans une impasse dont ils sortiront grandis par la découverte de leur générosité mutuelle.

■■■■ UN AMOUR ABSOLU

Les « amants » de *Cinna* ont un peu moins de vingt ans, et la passion les brûle. Dès la scène 1 de l'acte I, Émilie avoue : « J'aime encor plus Cinna que je ne hais Auguste » (v. 18), et à la scène suivante, elle confie à Fulvie ses craintes de le perdre :

> Quand je songe aux dangers que je lui fais courir,
> La crainte de sa mort me fait déjà mourir ;
>
> (v. 119 et 120)

L'aveu revient comme un leitmotiv à intervalles réguliers [1].

Cet amour partagé est fondé sur une fidélité absolue. Émilie est la femme d'un seul homme, comme elle est pour Cinna l'unique amour de sa vie. Quand celui-ci lui fait part de ses scrupules à assassiner

---

1. Voir par exemple les vers 249, 260, 350 à 354, 877, 925, etc.

l'empereur, elle a beau l'accabler de son mépris (v. 1034 à 1036), elle le rassure aussitôt après sur sa fidélité : « Mais n'appréhende pas, lui dit-elle, qu'un autre m'obtienne » (v. 1037).

Même quand elle croit Cinna arrêté et voué à une mort certaine, elle repousse avec indignation les avances de Maxime (IV, 5). Ni Cinna ni Émilie n'envisagent de vivre l'un sans l'autre, ou de survivre l'un à l'autre.

Leur passion est totale, absolue. La conspiration dans laquelle ils se sont engagés et les risques mortels qu'ils encourent confèrent parfois à leurs aveux mutuels une émouvante simplicité. Ainsi, à l'annonce de la convocation soudaine de Cinna par Auguste et dans l'ignorance des dangers que cette convocation peut cacher, Émilie a ces quelques mots d'autant plus forts qu'ils sont sobres : « Souviens-toi seulement que je t'aime » (v. 354). Ces deux conspirateurs sont d'abord des « amants » sincères, follement épris l'un de l'autre.

■■■■ UN AMOUR ROMANESQUE ET PRÉCIEUX

Héritée de la littérature courtoise du Moyen Age [1], la préciosité est un courant littéraire et moral qui s'épanouit en France de 1620 à 1660 environ. Se caractérisant essentiellement par le désir de donner du « prix » aux sentiments, aux actes et au langage, la préciosité développe une conception romanesque de l'amour [2], dans laquelle l'« amant » doit, pour mériter la main de sa « dame », triompher de multiples épreuves [3]. Cette conception transparaît dans *Cinna*.

Consciente de sa beauté, de sa valeur, Émilie se met

---

1. La littérature courtoise est ainsi appelée parce qu'elle se développa dans les cours seigneuriales du Moyen Age ; elle exaltait subtilement le sentiment amoureux.
2. Mlle de Scudéry (1607-1701) se fait le chantre de cette conception dans ses romans *(Clélie, Le Grand Cyrus).*
3. Cette même préciosité conduisit à des excès dont Molière se moquera dans *Les Précieuses ridicules* (1659).

en effet à haut « prix » (le mot n'avait à l'époque rien de vulgaire ni de péjoratif ; il soulignait au contraire toutes les qualités et tout le mérite d'une femme). Ce mot revient à plusieurs reprises dans sa bouche (par exemple, aux vers 112 et 276). Aussi considère-t-elle comme naturel d'imposer à son « amant » une épreuve à laquelle elle ne souffrira pas qu'il se dérobe.

Cette épreuve, c'est l'assassinat d'Auguste. Cinna l'a acceptée par amour pour Émilie, à qui il voue une passion sans limites : « J'idolâtre Émilie », dit-il (v. 813). Le verbe « idolâtrer » a une résonance presque religieuse. Au sens premier, il signifie en effet : « aimer en rendant une sorte de culte ». Ce vocabulaire appartenait traditionnellement à la langue précieuse. Son emploi suggérait le haut « prix », c'est-à-dire la grande valeur, de la femme aimée.

■■■■ UN AMOUR D'ABORD CONTRAIRE À L'HÉROÏSME

Cette passion, si forte soit-elle, renferme pourtant ses propres contradictions. Même si elle arrache à Émilie l'un des plus beaux cris d'amour du théâtre de Corneille (« Je t'aime toutefois, quel que tu puisses être », v. 1033), elle demeure contraire aux exigences de l'héroïsme, tel que Corneille les comprend. Elle conduit en effet à déshonorer Cinna. La meilleure preuve en est que Cinna décide certes d'assassiner Auguste, mais de se suicider aussitôt après, afin de préserver son honneur.

Or dans tout le théâtre de Corneille, l'amour n'est une valeur morale authentique que s'il se fonde sur l'estime de l'autre. On ne peut ni ne doit aimer dans l'avilissement, dans le rejet des valeurs morales, de ce qui fait la grandeur de l'homme. C'est pourquoi Euphorbe a tort, quand il affirme que « l'amour rend tout permis » (v. 735) ; c'est pourquoi aussi Maxime se trompe quand il espère séduire Émilie : comment un amour durable pourrait-il se bâtir sur le mensonge et la trahison ?

Le drame personnel de Cinna, sommé de choisir entre sa fidélité à Auguste et son attachement à Émilie (voir pp. 19 à 21), montre que la passion amoureuse comporte (du moins jusqu'au dernier acte) ses propres germes de destruction. L'épreuve du danger, après l'arrestation de Cinna, va épurer cet amour et permettre l'épanouissement complet des deux jeunes gens.

■■■■ UN AMOUR FINALEMENT HÉROÏQUE

La minute de vérité qui va radicalement changer la nature de la passion, c'est l'attente du verdict d'Auguste qui ne peut être selon toute vraisemblance qu'un verdict de mort. Or devant le danger suprême, les « deux amants » font assaut de générosité et revendiquent fièrement la pleine responsabilité de leurs actes.

Cet assaut de générosité prend d'abord la forme d'une rivalité, chacun des deux, pour sauver l'autre, s'affirmant comme le seul chef de la conspiration :

> CINNA : J'en suis le seul auteur, elle n'est que complice.
> ÉMILIE : Cinna, qu'oses-tu dire ? est-ce là me chérir,
> Que de m'ôter l'honneur quand il me faut mourir ?
>
> (v. 1638 à 1640)

Mais bientôt, cette rivalité devient *partage*, mise en commun. Tous deux découvrent leur mutuelle grandeur d'âme :

> La gloire et le plaisir, la honte et les tourments,
> Tout doit être commun entre de vrais amants.
>
> (v. 1647 et 1648)

Cette révélation ouvre une nouvelle perspective. Émilie refait en effet devant Auguste l'histoire de leur amour, mais pour la première fois dans la pièce, elle la refait à la première personne du pluriel (v. 1649 à 1654). Elle partage tout désormais avec Cinna, sur un pied d'égalité avec lui. Elle n'est plus l'âme de la conjuration, la déesse que Cinna « idolâtrait », ce qui supposait une hiérarchie entre elle et lui.

Devant la menace mortelle, les deux « amants » mesurent l'étendue de leur passion et leur complète égalité. La réponse d'Auguste est d'ailleurs significative : « Oui, je vous unirai, *couple* ingrat et perfide » (v. 1656), dit-il, tant il constate qu'Émilie et Cinna se lient plus profondément que jamais. Sa clémence permettra enfin à ce couple d'exister et de s'aimer.

LA DOCTRINE DE L'« IMITATION »

9 La dramaturgie

On désigne sous le nom de dramaturgie l'ensemble des procédés qu'utilise un auteur pour construire une pièce de théâtre. Au XVIIᵉ siècle, ces procédés étaient qualifiés de « règles », et de nombreux théoriciens du théâtre (tels que Boileau dans son *Art poétique*) rappelaient sans cesse ces « règles » auxquelles la tragédie devait se plier et qui, pour l'essentiel, remontaient à la *Poétique* d'Aristote [1]. Comme leur nombre interdit de les détailler toutes, on se limitera à l'examen des plus importantes : celles qui concernent les unités de temps, de lieu, d'action, et l'intérêt dramatique.

Pour bien comprendre la portée et la fonction de ces « règles », il importe toutefois de préciser au préalable ce qui les justifiait et à quoi elles servaient.

■■■ LA DOCTRINE DE L'« IMITATION »

Il convient de ne pas considérer les « règles » de la dramaturgie classique comme l'expression d'une bizarrerie de l'époque. Elles découlaient logiquement de l'idée qu'on se faisait de la tragédie, alors conçue comme l'« imitation d'une action ». En d'autres termes, la tragédie devait être vraisemblable et offrir au spectateur l'illusion qu'il assistait non pas à la représentation d'une œuvre de fiction, mais au déroulement sur scène d'une action que l'autorité de la légende ou de l'histoire prétendait véridique. Les « règles » avaient

---

1. Ce philosophe grec avait exposé dans sa *Poétique* les principales lois de la tragédie telle qu'elle existait à son époque, au IVᵉ siècle avant notre ère. Comme le XVIIᵉ siècle tenait la tragédie grecque pour un modèle presque inégalable, les dramaturges français appliquaient les lois édictées par Aristote.

donc pour but de faire naître un certain plaisir : celui de se croire le témoin privilégié d'une aventure authentique et tragique.

■■■■ LE TEMPS

En conséquence de cette théorie de l'« imitation », les dramaturges [1] s'efforçaient de rapprocher les deux temps inhérents à toute représentation : la durée objective du spectacle (trois heures et demie environ pour une tragédie) et la durée supposée de l'action. Idéalement ces deux durées auraient dû coïncider. Mais comme, en pratique, c'était rarement réalisable, on avait fini par admettre que la longueur représentée ne devait pas dépasser vingt-quatre heures. Au-delà, pensait-on, se produisait entre temps réel et temps fictif de la représentation un trop grand décalage, préjudiciable à la vraisemblance : le spectateur ne pourrait plus croire qu'en un peu plus de trois heures de spectacle on lui présente des événements censés se dérouler sur plusieurs jours. L'« unité de temps » apparaissait comme nécessaire à la crédibilité de l'œuvre jouée, donc à l'intérêt qu'elle devait susciter.

Cinna se plie rigoureusement à cette contrainte de l'« unité de temps ». L'entrevue initiale d'Émilie et de Cinna (I, 3), la soudaine convocation, par Auguste, des deux chefs de la conspiration (I, 4), la longue scène de conseil (II, 1), les scrupules de Cinna qui ne se résout pas à assassiner Auguste (III, 3), la seconde rencontre de Cinna et d'Émilie (III, 4), la comparution de Cinna (V, 1), puis d'Émilie (V, 2), et la clémence d'Auguste (V, 3) constituent autant de péripéties qui peuvent à coup sûr se produire en quelques heures. Il faut certes tenir compte des événements qui viennent s'intercaler entre les actes, c'est-à-dire la fin de la conversation de Maxime et de Cinna entre les actes II et III, et la dénonciation du complot par Euphorbe entre les

---

1. Voir p. 4, note 1.

actes III et IV. Mais, même dans ce cas, moins d'une demi-journée (matinée ou après-midi) suffit.

Dans le *Discours des trois unités*[1] qu'il publiera en 1660 (soit dix-huit ans après la pièce), Corneille écrira : « Tous les événements de *Cinna* pourraient à la rigueur tenir en deux heures, c'est-à-dire se renfermer (= être contenus) dans le temps nécessaire à la représentation de la pièce ». Deux heures, c'est peut-être trop juste ; quatre ou cinq heures paraissent plus vraisemblables. L'essentiel réside toutefois moins dans ce décompte mathématique (toujours approximatif) que dans le fait qu'avec *Cinna* l'unité de temps est presque parfaitement respectée. Il s'en faut de très peu pour que le temps réel et le temps fictif coïncident idéalement.

■■■■ LE LIEU

L'« unité de lieu » procède également de la théorie de l'« imitation », et elle est une conséquence de l'« unité de temps ». La tragédie ne devait pas en effet comporter de changements de lieux plus importants que les moyens de communication de l'époque ne permettaient d'en effectuer en un jour. L'invraisemblance aurait, sinon, été évidente. Aussi ces déplacements devaient-ils concrètement se limiter au cadre du palais (ou d'une ville) et de ses abords.

Irréprochable quant au respect de l'« unité de temps », *Cinna* l'est moins quant à la stricte observation de l'« unité de lieu ». Globalement, le lieu est certes unique : l'action se déroule à Rome et, plus précisément encore, dans le palais d'Auguste. Mais quand on examine la pièce de très près, on s'aperçoit qu'à l'intérieur de cet espace qu'est le palais, il convient de distinguer plusieurs lieux particuliers. Les actes I et III, les scènes 4, 5 et 6 de l'acte IV se déroulent dans les appartements d'Émilie. L'acte II, les trois premières

---

1. Ce *Discours des trois unités* renferme les réflexions de Corneille sur son métier de dramaturge et, plus particulièrement, sur les trois « unités de temps, de lieu et d'action » qui étaient au cœur de la dramaturgie classique.

scènes de l'acte IV et la totalité de l'acte V se passent dans les appartements (ou le cabinet de travail) d'Auguste. La pièce observe donc l'« unité de lieu » dans un sens relativement large.

Pour ne pas changer de lieu, l'habitude avait été prise, dès les premières représentations, de jouer *Cinna* dans le cadre (fictif) unique et vague d'un immense vestibule [1]. Les théoriciens de l'époque ne manquèrent pas d'en faire grief à Corneille : « Je n'ai jamais bien pu concevoir, notera l'un d'eux [2], comment Monsieur Corneille peut faire qu'en un même lieu Cinna conte à Émilie tout l'ordre et les circonstances d'une grande conspiration contre Auguste, et qu'Auguste y tienne un conseil de confidence [allusion à la scène 1 de l'acte II] avec ses deux favoris. » Voir en effet aller et venir dans une même salle des conspirateurs et leur victime potentielle avait de quoi choquer.

Quand, au XIXe siècle, Victor Hugo et les écrivains romantiques voudront rompre avec la dramaturgie classique et la règle des trois « unités », ils s'appuieront précisément sur l'exemple de *Cinna* pour démontrer l'incohérence de l'« unité de lieu » : « Quoi de plus invraisemblable et de plus absurde en effet, écrira Victor Hugo dans sa *Préface de Cromwell* (1827), que ce vestibule, ce péristyle [3], cette antichambre, lieu banal où toutes nos tragédies ont la complaisance de venir se dérouler, où arrivent, on ne sait comment, les conspirateurs pour déclamer contre le tyran, le tyran pour déclamer contre les conspirateurs ! » L'allusion à *Cinna* est transparente.

■■■ L'ACTION

L'« unité d'action » imposait que l'intérêt fût centré sur une seule intrigue.

---

1. Un vestibule est, dans un palais, une immense pièce placée à l'entrée.
2. Abbé d'Aubignac, *Pratique du théâtre* (publié en 1657).
3. Un péristyle est une galerie à colonnes autour d'un édifice.

L'« unité d'action » est rigoureuse et complète dans *Cinna*. Les conjurés et leur victime potentielle forment en effet un couple en quelque sorte indissociable. Il n'y a pas d'assassin sans assassiné. Dans tous les cas de figure, le sort des uns est lié au destin de l'autre : soit que Cinna et Émilie réussissent en tuant Auguste, soit qu'ils échouent dans leur entreprise. Il est logique que Cinna aimant Émilie participe au complot, que Maxime trahisse par jalousie amoureuse, que Livie conseille son mari. Le rideau se lève sur les dangers qu'encourent et l'empereur (menacé d'un attentat) et les conjurés (dans le cas où le complot serait découvert) ; il se baisse quand ces dangers ont disparu, quand le sort de chacun est définitivement fixé. Toutes les péripéties de la pièce convergent ainsi vers un même but : la vie (ou la mort) de l'empereur et de ceux qui ont projeté de le tuer.

■■■■ L'INTÉRÊT DRAMATIQUE

Avec *Cinna*, Corneille réalise une véritable prouesse dans le traitement de l'intérêt dramatique. Les lois régissant la tragédie classique exigeaient en effet que le dramaturge [1] maintînt le plus longtemps possible les spectateurs en haleine. Or, en sous-titrant sa pièce : « La clémence d'Auguste », Corneille indiquait d'emblée quel était le dénouement. C'était jouer avec la difficulté puisque les spectateurs savaient à l'avance que la conspiration serait découverte, que les conspirateurs ne seraient pas punis de mort.

L'intérêt dramatique de *Cinna* ne faiblit pourtant jamais. Les deux premiers actes concentrent l'attention sur le sort d'Auguste, victime désignée ; les trois derniers la centrent sur le destin des conjurés. La question est moins de savoir ce qui effectivement arrivera (le sous-titre l'indique clairement) que de percevoir comment les événements se dérouleront. Or les coups de théâtre ponctuent l'action à intervalles régu-

---

1. Voir p. 4, note 1.

liers et laissent à chaque fois croire que la catastrophe est imminente : la soudaine convocation de Cinna et de Maxime (I, 4), la trahison de ce dernier, par l'intermédiaire d'Euphorbe (III, 1 et IV, 1), le refus d'Auguste d'écouter les conseils que Livie lui prodigue (IV, 3), la longue hésitation de l'empereur (V, 1) entretiennent et relancent en permanence l'intérêt. Même si le spectateur sait ce que va décider Auguste, il se demande quand et à la suite de quel raisonnement, de quelle évolution, Auguste va se décider. Il faut en effet attendre la dernière scène et le célèbre « Soyons amis » (v. 1701, alors que la pièce en compte 1780) pour que le spectateur (ou le lecteur) sache vraiment à quoi s'en tenir. Le pardon qu'Auguste accorde aux conjurés fait que *Cinna* appartient ainsi à la catégorie des tragédies dites à « fin heureuse » (contrairement à une idée trop souvent répandue, il n'y avait, dans une tragédie, aucune obligation de faire mourir un ou plusieurs personnages).

10 Un art de l'éloquence

Les vers de *Cinna* ont « quelque chose » d'« achevé »
remarquait déjà Corneille dans l'*Examen*[1] de sa pièce
en 1660 ; de fait, ils sont très souvent empreints de
grandeur. A la dignité des personnages, à la gravité
du sujet correspond un style noble, où l'éloquence
domine. L'éloquence désigne globalement l'art de per-
suader par le discours, par la parole. Elle apparaît tour
à tour dans l'emploi de l'alexandrin, dans des registres
oratoires (propres au discours) différents, dans une
poésie de la grandeur et dans des sentences.

■■■■ UNE UTILISATION MAJESTUEUSE DE L'ALEXANDRIN

L'alexandrin (vers de douze syllabes) est, au
XVIIe siècle, le vers noble par excellence. Il se prête en
effet parfaitement à l'expression de la puissance, de
la solennité ou de l'héroïsme. Auguste évoque par
exemple sa situation de maître du monde en ces
termes :

> Cet empire absolu sur la terre et sur l'onde,
> Ce pouvoir souverain que j'ai sur tout le monde,
> Cette grandeur sans borne et cet illustre rang,
> Qui m'a jadis coûté tant de peine et de sang,
> Enfin tout ce qu'adore en ma haute fortune
> D'un courtisan flatteur la présence importune,
> N'est que de ces beautés dont l'éclat éblouit

(v. 357 à 363)

---

1. En 1660, Corneille publie une édition complète de ses œuvres. Il fait
précéder chacune de ses pièces d'un « examen », sorte de préface où il
analyse (examine) et explique la manière dont il a composé ses œuvres.

L'alexandrin illustre en cette circonstance la grandeur même de l'empereur. Sa lenteur, ses pauses à peine marquées à l'hémistiche [1], l'effet d'accumulation traduit par la reprise anaphorique [2] « Ce »/« Cet », le champ lexical de l'autorité (« empire absolu », « pouvoir souverain », « grandeur »), la généralisation qu'exprime l'adverbe « Enfin », tout concourt à souligner la puissance et la dignité de l'empereur. La période oratoire [3] qui va s'enflant sur six vers se brise en outre sur la locution restrictive « n'est que », qui suggère ainsi, dans le même mouvement de la parole, le prestige d'Auguste et sa lassitude du pouvoir. Le rythme et le vocabulaire épousent de la sorte étroitement l'expérience intime d'Auguste.

■■■■■ TROIS FORMES D'ÉLOQUENCE

Constamment présente dans *Cinna*, l'éloquence revêt la forme tantôt d'un débat politique, tantôt, par le biais d'un monologue, d'une délibération intérieure, tantôt d'un réquisitoire, comme dans un procès.

L'éloquence politique

La très longue scène 1 de l'acte II se présente comme un débat sur les avantages respectifs de la république et de l'empire. Le sujet est grave, le ton soutenu grâce à l'ampleur et à la majesté des vers.

Les arguments qu'avancent Cinna et Maxime s'ordonnent selon une composition rigoureuse, comme le montre le tableau page suivante.

---

1. L'hémistiche désigne la moitié d'un alexandrin (6 + 6 syllabes) ; la coupe à l'hémistiche (après la sixième syllabe) était une nécessité ; mais cette coupe peut être plus ou moins forte.
2. Voir p. 38, note 1.
3. Une période oratoire (propre au discours) est une longue phrase.

Arguments de Cinna (vers 413 à 441)	**Arguments de Maxime** (vers 443 à 498)
« On ne renonce point aux grandeurs légitimes » (v. 413). Argument moral.	Auguste a fait de l'État une « juste conquête » à laquelle il peut sans remords renoncer (v. 443 à 450). Argument moral.
Auguste est, par le droit de guerre, le maître légitime de Rome (v. 419 à 426). Argument juridique et moral.	Auguste est bien le maître de Rome, mais en abdiquant, il montrerait qu'il n'est pas esclave du pouvoir (v. 451 à 460). Argument juridique et moral.
Démissionner serait admettre que l'assassinat de Jules César était juste (v. 427 à 432). Argument moral et politique.	Rien n'est plus glorieux que de renoncer à un « bien » que l'on a conquis (v. 461 à 480). Argument moral.
Auguste ne doit pas craindre les coups d'un assassin éventuel (v. 433 à 438). Argument politique.	Auguste doit craindre un complot (v. 481 à 495). Argument politique.
Il est beau de mourir maître de l'univers (v. 439 à 442). Argument moral.	Il est encore plus beau de vivre pour accroître sa gloire (v. 496 à 498). Argument moral.

L'éloquence lyrique

Le lyrisme réside dans l'expression passionnée (heureuse ou douloureuse, tristesse ou joie) de sentiments personnels. Au théâtre, cette expression est souvent réservée au monologue, quand le personnage parle seul pour analyser ses états d'âme ou pour laisser libre cours à la violence qui l'habite. Or *Cinna* comporte quatre monologues : ceux d'Émilie (I, 1), de Cinna (III, 3), d'Auguste (IV, 2) et de Maxime (IV, 6).

L'émotion des personnages fait qu'il n'est pas toujours aisé de distinguer chez Corneille cette forme d'éloquence de la poésie. Quand Auguste, désespéré de se voir trahi par ceux qu'il aimait le plus, se laisse aller à la douleur, son monologue (IV, 2) relève ainsi autant de l'éloquence que de la poésie. Il contient des phrases interrogatives et exclamatives (vers 1 122, 1 131, 1 144, 1 149, 1 150, 1 156 à 1 162), des périodes oratoires (c'est-à-dire de longues phrases comportant des accumulations, dans les vers 1 132 à 1 144) ; et la détresse de l'empereur est soulignée par la répétition anaphorique [1] de « Meurs » (v. 1 170 et 1 171, 1 175 et 1 176, 1 179).

L'éloquence judiciaire

L'acte V se présente comme un procès : Cinna, Émilie et Maxime sont les accusés, Auguste est le juge ; les tirades que prononce ce dernier sont comme des réquisitoires (des actes d'accusation) et les répliques des accusés constituent leur défense. La scène (fictivement située dans le palais impérial) ressemble donc à un prétoire, à la salle d'audience d'un tribunal. Or, le prétoire où il s'agit de convaincre des jurés de l'innocence ou de la culpabilité d'un prévenu est un des lieux naturels de l'éloquence, dite, pour cette raison, éloquence judiciaire. Avocat de formation, Corneille en connaît les techniques et les effets. Le réquisitoire d'Auguste (v. 1 435 à 1 476) est un modèle du genre.

Auguste commence par rappeler à Cinna tous les bienfaits dont il l'a comblé (v. 1 435 à 1 457) dans le passé ; il poursuit en évoquant la faveur dont Cinna bénéficie présentement, pour conclure :

> Tu t'en souviens, Cinna : tant d'heur [2] et tant de gloire
> Ne peuvent pas sitôt sortir de ta mémoire ;
> Mais ce qu'on ne pourrait jamais s'imaginer,
> Cinna, tu t'en souviens, et veux m'assassiner.
>
> (v. 1 473 à 1 476)

La chute (la fin) de ce réquisitoire est d'une grande habileté et produit un effet saisissant. Rien ne la laisse en effet présager. Le contraste entre la générosité d'Auguste et l'ingratitude de Cinna n'en est que plus

---

1. Voir p. 38, note 1.
2. « Heur » : bonheur.

fortement souligné. Le recours à la gestuelle [1] — les avocats sont aussi des acteurs — et d'amples périodes oratoires [2] renforcent le sentiment que l'on assiste à un véritable procès.

■■■ UNE POÉSIE DE LA GRANDEUR

Les évocations historiques, nombreuses dans la pièce, prennent souvent une coloration poétique. Sur un ton tantôt épique, tantôt héroïque, celle-ci concourt à la solennité générale de l'œuvre.

La poésie épique

La poésie épique apparaît essentiellement dans le récit que Cinna fait à Émilie de la dernière réunion des conjurés (I, 3). Est épique tout événement présenté comme grandiose, par lequel un individu modifie ou prétend modifier l'histoire d'une collectivité, d'une nation. Le discours que Cinna tient aux conspirateurs s'élargit aux dimensions d'un gigantesque affrontement moral et politique entre la dictature et la liberté :

> Lui mort, nous n'avons point de vengeur ni de maître ;
> Avec la liberté Rome s'en va renaître ;
> Et nous mériterons le nom de vrais Romains,
> Si le joug qui l'accable est brisé par nos mains.
>
> (v. 225 à 228)

Parfois la poésie épique revêt de sombres couleurs. Dans le long monologue d'Auguste (IV, 2), les souvenirs de la guerre civile sont atroces. Mais tout l'arrière-plan que dessinent les noms de ville et de provinces, les effets de généralisation donnent à ces souvenirs une tragique impression de grandeur. Tout se passe comme s'il s'agissait d'une évocation de fin du monde :

---

1. La gestuelle désigne toutes les attitudes signifiantes du corps : non seulement les gestes, mais le regard, le ton de la voix, les mimiques, etc. Des éléments de gestuelle sont contenus dans les vers 1 425 (« Prends un siège »), 1 479 et 1 480.
2. Voir p. 69, note 3.

Songe aux fleuves de sang où ton bras s'est baigné,
De combien ont rougi les champs de Macédoine [1],
Combien en a versé la défaite d'Antoine [2],
Combien celle de Sexte [3], et revois tout d'un temps
Pérouse au sien noyée, et tous ses habitants;

(v. 1 132 à 1 136)

La poésie héroïque

La poésie héroïque éclate quand les personnages chantent leur gloire (ou que celle-ci est chantée par d'autres) et évoquent leurs exploits avec de mâles accents. Cinna évoque par exemple la gloire d'Auguste en ces termes :

Rome est dessous vos lois par le droit de la guerre,
Qui sous les lois de Rome a mis toute la terre ;
Vos armes l'ont conquise, et tous les conquérants
Pour être usurpateurs ne sont pas des tyrans ;
Quand ils ont sous leurs lois asservi des provinces,
Gouvernant justement, ils s'en font justes princes

(v. 421 à 426)

La conquête de Rome par Auguste, la conquête du « monde » par Rome, le vocabulaire de la justice donnent à ces vers une allure de triomphe et de victoire. Il en va de même lorsqu'Auguste, dominant sa colère, accorde sa grâce aux conjurés :

Je suis maître de moi comme de l'univers ;
Je le suis, je veux l'être. O siècles, ô mémoire,
Conservez à jamais ma dernière victoire !

(v. 1 696 à 1 698)

Toute la tension de l'effort traduite par l'expression « je veux l'être » confère à ces vers une orgueilleuse et admirable énergie.

---

1. Allusion à la bataille de Philippes (42 avant J.-C.) où les assassins de Jules César, Brutus et Cassius, furent battus par Octave (le futur Auguste).
2. Octave (le futur Auguste) écrasa Antoine lors de la bataille navale d'Actium (31 avant J.-C.).
3. Sexte, c'est-à-dire Sextus, fils de Pompée, fut battu par Agrippa (un des lieutenants d'Octave) lors de la bataille navale de Nauloque (36 avant J.-C.).

UNE ÉCRITURE DE L'EMPHASE [1]

Cinna se caractérise par un style solennel. On parlait au XVIIe siècle de « style soutenu », de « style noble ». Tous les procédés d'écriture qu'emploie Corneille tendent en effet à créer une impression de majesté et de grandeur, conforme à la dignité du sujet et des personnages. Mais tant de « pompe [2] » a aussi parfois lassé et peut encore laisser indifférent. De la solennité à l'emphase ou à l'enflure, il n'y a souvent qu'un pas. Ainsi, chacun, selon sa sensibilité, peut trouver la pièce fort peu émouvante, ou au contraire la juger passionnante.

Ceux que l'emphase ne touche pas regretteront l'absence de simplicité et ils penseront qu'Auguste réagit trop en chef d'État et pas assez en être humain atteint dans sa chair et dans ses affections. Ils souligneront qu'on attend en vain un cri du cœur qui montrerait que sous les fonctions officielles de l'homme vibre une personne blessée.

Les lecteurs ou les spectateurs qui sont plus sensibles aux enjeux et aux problèmes que soulèvent l'organisation et le gouvernement d'un État apprécieront en revanche que le style de Corneille soit en harmonie avec la gravité de l'action.

Mais qu'elle émeuve ou qu'elle n'émeuve pas, la présence de cette écriture de l'emphase n'est pas contestable. Avec *Horace* (1640) qui chronologiquement la précède, la pièce de *Cinna* a contribué à façonner l'image d'un Corneille poète de la grandeur et de la puissance oratoire.

---

1. L'emphase est un parti pris de solennité, soit dans le ton, soit dans les termes employés.
2. La « pompe » désigne ce qui est somptueux, majestueux et cérémonieux ; on parle ainsi de la « pompe » d'un décor ou d'un discours. Le substantif « pompe » est moins péjoratif que l'adjectif qualificatif « pompeux ».

11 Succès et interprétations de Cinna

L'accueil de la pièce au XVIIᵉ siècle

Dès sa création, *Cinna* reçut un accueil triomphal et fut, après *Le Cid*, le second grand succès de Corneille. Quelques mois après la publication de la pièce (18 janvier 1643), les comédiens de l'Hôtel de Bourgogne (l'un des deux grands théâtres de Paris, avec l'Hôtel du Marais), puis la troupe de Molière, jouèrent *Cinna* dont la faveur auprès du public ne se démentira pas jusqu'à la fin du siècle. On apprécia surtout l'intrigue amoureuse, on admira l'énergie farouche d'Émilie, on s'émut de l'amour et des hésitations de Cinna. En un temps où l'on aimait les discours, l'emphase de la pièce toucha également. C'est en songeant à *Horace* et à *Cinna* que La Bruyère (1645-1696) notera dans ses *Caractères* : « Il [Corneille] peint les Romains, ils sont plus grands et plus Romains dans ses vers que dans leur histoire » (« Des jugements », 56).

Les réactions des XVIIIᵉ et XIXᵉ siècles

Le XVIIIᵉ siècle, quant à lui, manifesta une certaine froideur à l'égard de la pièce. L'emphase, qui avait contribué au succès de la pièce au siècle précédent, commença à rebuter. La génération de Marivaux, de Rousseau, plus sensible à la spontanéité, n'aima guère la grandiloquence des vers de Corneille.

La Révolution française amena un considérable changement d'optique. Privilégiant le débat politique au détriment de l'intrigue amoureuse, elle vit en Auguste le héros principal de la tragédie. Les plus grands acteurs préférèrent jouer alors Auguste.

Le XIXᵉ siècle hésita entre l'enthousiasme et la sévérité. D'un côté, la soudaineté de la clémence d'Auguste choqua ; d'un autre côté, la portée politique de la pièce passionna.

Au XXᵉ siècle

Le prestige de *Cinna* remonta dans les dernières années du XIXᵉ siècle et se maintint jusqu'à nos jours. C'est surtout Auguste qui a retenu l'attention. On apprécie qu'Auguste ne soit pas un « héros né », mais qu'il le devienne lentement, douloureusement. Cinna et Émilie n'en ont pas moins été réhabilités. On ne les considère plus, comme pendant la Révolution française, comme des comparses. On insiste davantage sur leur jeunesse, qui explique leur soif d'absolu. Ainsi que l'observait le comédien Charles Dullin (1885-1949), « Émilie a l'âge des défis, des amours de tête, des actes gratuits ; elle se monte, s'exalte, se regarde vivre [1]. » Cinna est tout aussi romanesque, pensait-il.

Depuis la Seconde Guerre mondiale, *Cinna* a souvent été repris : par Charles Dullin, précisément, en 1947 pour des matinées classiques ; par Jean Vilar en 1954, qui confia le rôle d'Émilie à l'actrice Silvia Monfort dont tout le jeu évitait l'emphase. En 1956, la mise en scène de Maurice Escande opta délibérément pour la sobriété et la simplicité.

En avril 1975, Simon Eine signait une nouvelle mise en scène au théâtre parisien du Petit Odéon (avec comme acteurs principaux Jean-Luc Bouté, Michel Etcheverry et Francis Huster) qui insistait davantage sur le drame intérieur d'Auguste et le jeune enthousiasme de Cinna.

---

1. *Mise en scène et commentaires de « Cinna »*, 1948, p. 13.

ÉLÉMENTS DE BIBLIOGRAPHIE

Sur le genre littéraire

— Jacques TRUCHET, *La Tragédie classique en France* (P.U.F., 1975).
Ouvrage riche, essentiel, clair et indispensable.

Sur Corneille, sa vie et son œuvre

— Louis HERLAND, *Corneille par lui-même* (Éditions du Seuil, 1954).
— Georges COUTON, *Corneille* (Hatier, 1969).
L'œuvre appréhendée sous l'angle historique.

Sur Cinna : études d'ensemble (comportant de longues analyses de la pièce)

— Octave NADAL, *Le Sentiment de l'amour dans l'œuvre de P. Corneille* (1948).
Une étude déjà ancienne, mais toujours actuelle, de la passion amoureuse (voir le chapitre consacré à *Cinna*).
— Serge DOUBROVSKY, *Corneille et la dialectique du héros* (Gallimard, 1963, réédité dans la collection « Tel » Gallimard, 1982).
Une analyse du théâtre de Corneille à travers le prisme de la dialectique hégélienne du Maître et de l'Esclave (voir le chapitre consacré à *Cinna*). Étude stimulante, mais difficile d'accès.
— André STEGMANN, *L'Héroïsme cornélien. Genèse et signification* (A. Colin, 1982).
Une étude de la « gloire » située dans le contexte intellectuel et moral de l'époque. Lecture indispensable.
— Hans VERHOFF, *Les Grandes Tragédies de Corneille. Une psycholecture* (Lettres Modernes, 1982).
Une interprétation psychanalytique de l'œuvre. Étude nécessitant une connaissance préalable de ce qu'est la psychanalyse.
— Michel PRIGENT, *Le Héros et l'État dans la tragédie de Pierre Corneille* (P.U.F., 1986).
Une analyse des rapports de l'héroïsme et de la politique (lecture indispensable).

Sur Cinna :
étude de points particuliers

1) Sur le dénouement

— Roger ZUBER, « La conversion d'Émilie », dans *Héroïsme et création littéraire sous les règnes de Henri IV et de Louis XIII* (Klincksieck, 1974, pp. 261 à 276).

2) Sur la signification politique de la pièce

— Louis HERLAND, « Sur la signification politique de *Cinna* », *Bulletin de la société toulousaine d'études classiques* (1957, pp. 1 à 5).
« Le pardon d'Auguste dans *Cinna* » revue *La Table ronde*, 1961, pp. 377 à 413.
Cinna ou le péché et la grâce (Université de Toulouse, 1984).
Une analyse de la dramaturgie et de la signification politique de la pièce.

INDEX DES THÈMES

COLLECTION PROFIL

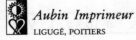

Aubin Imprimeur
LIGUGÉ, POITIERS

Achevé d'imprimer en janvier 1992
Nº d'édition 12811 / Nº d'impression L 39199
Dépôt légal janvier 1992 / Imprimé en France